Aprenda a fazer ORIGAMI

Criação e diagramação: Jarbas C. Cerino
Revisão: Beatriz Hüne

1ª Edição

Cotia 2017

PÉ DA LETRA EDITORA E DISTRIBUIDORA

Preste muita atenção na sequência de ilustrações:

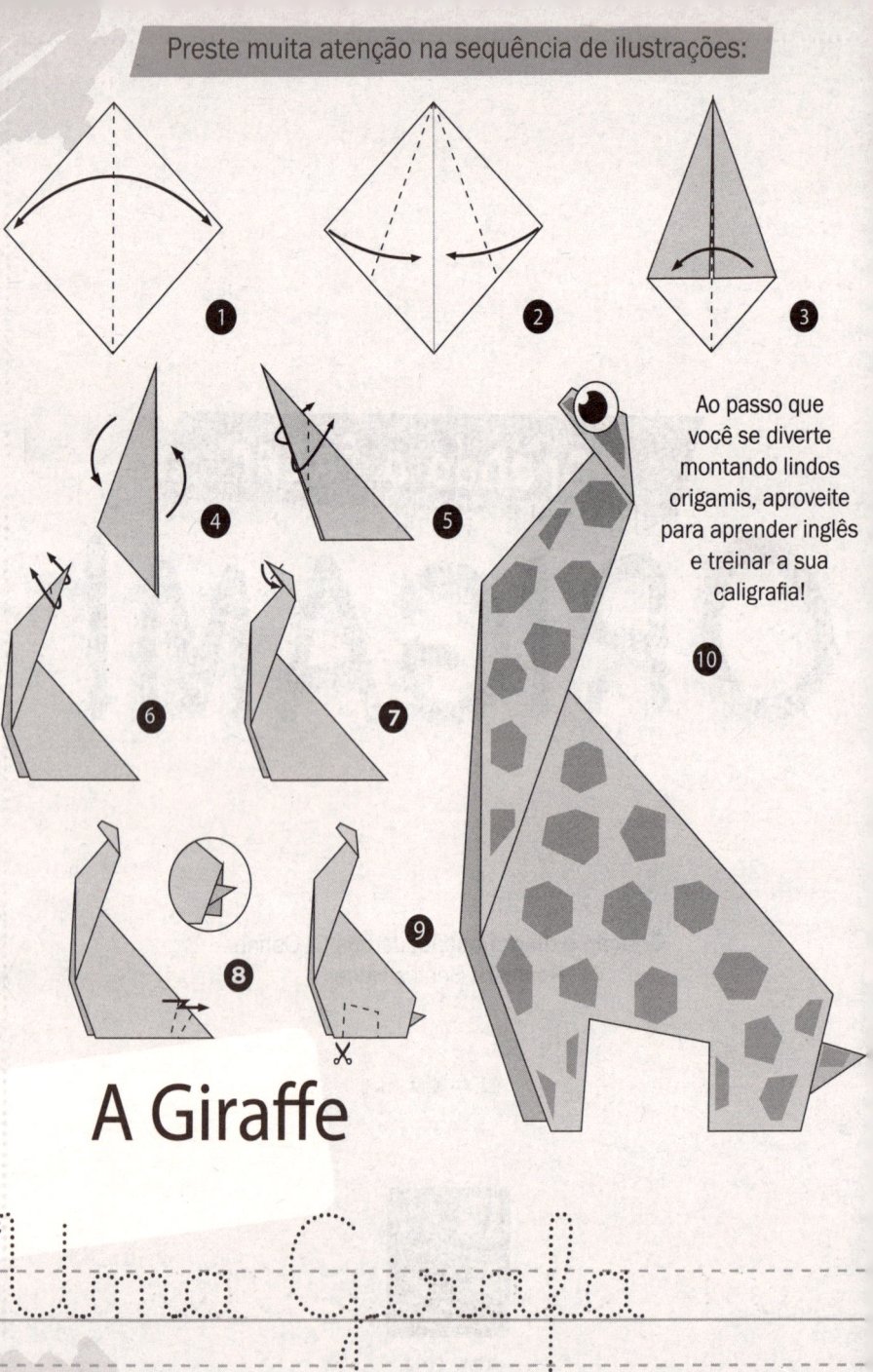

Ao passo que você se diverte montando lindos origamis, aproveite para aprender inglês e treinar a sua caligrafia!

A Giraffe

Uma Girafa

Preste muita atenção na sequência de ilustrações:

A Dog

Um Cachorro

Preste muita atenção na sequência de ilustrações:

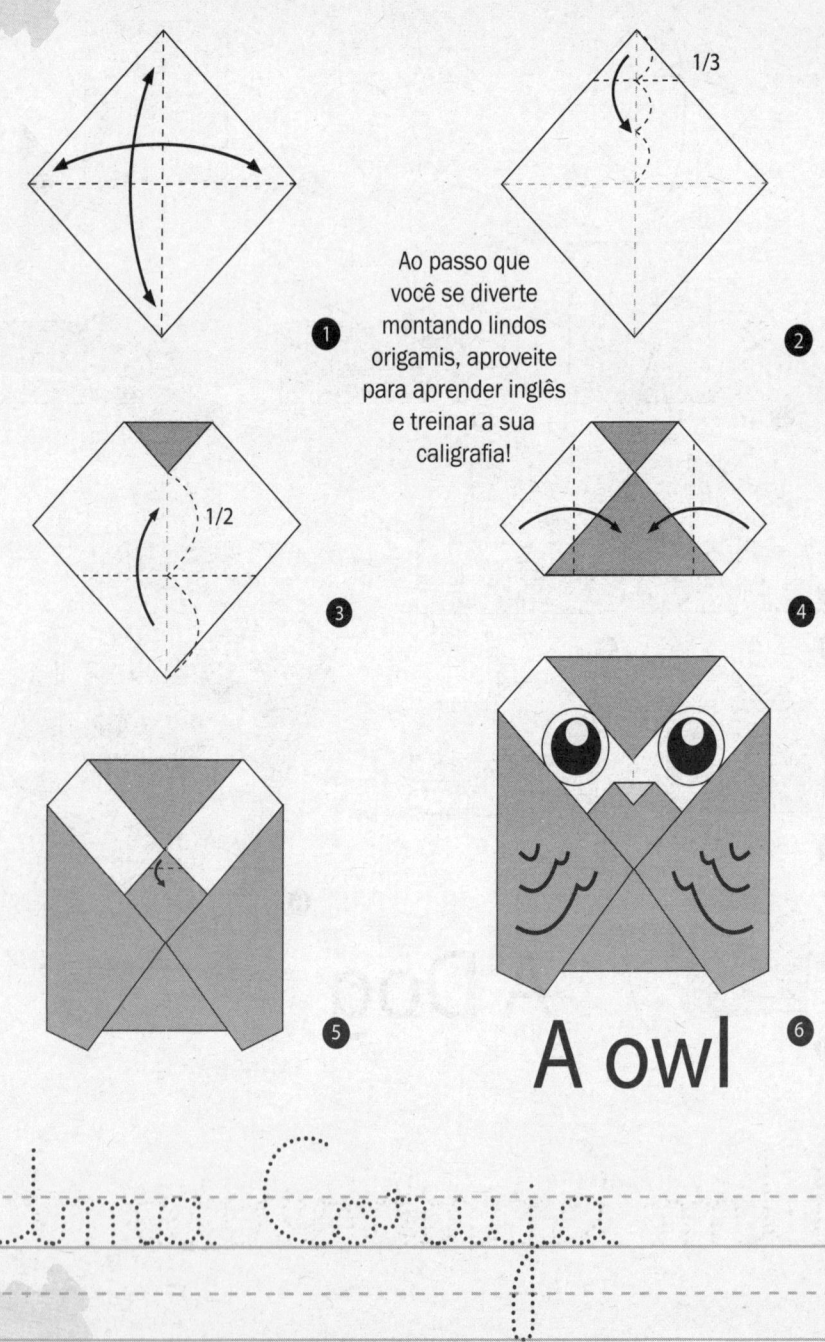

Ao passo que você se diverte montando lindos origamis, aproveite para aprender inglês e treinar a sua caligrafia!

A owl

Uma Coruja

Preste muita atenção na sequência de ilustrações:

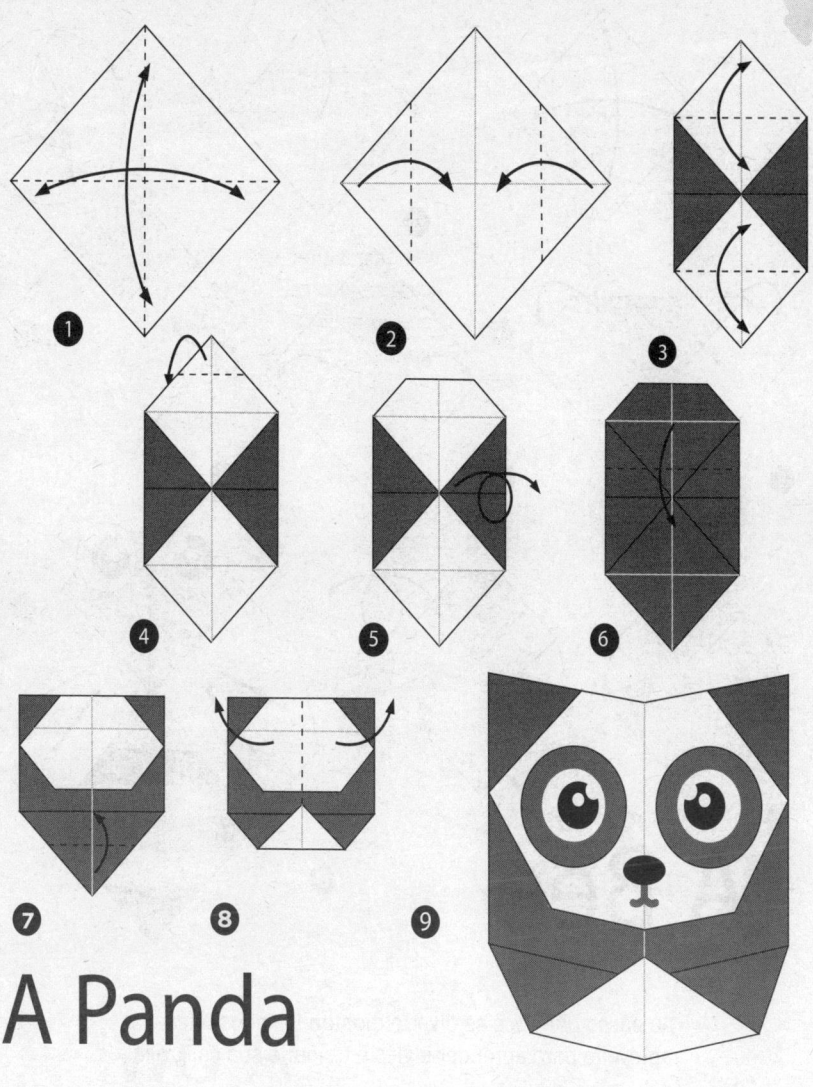

A Panda

Um Panda

Preste muita atenção na sequência de ilustrações:

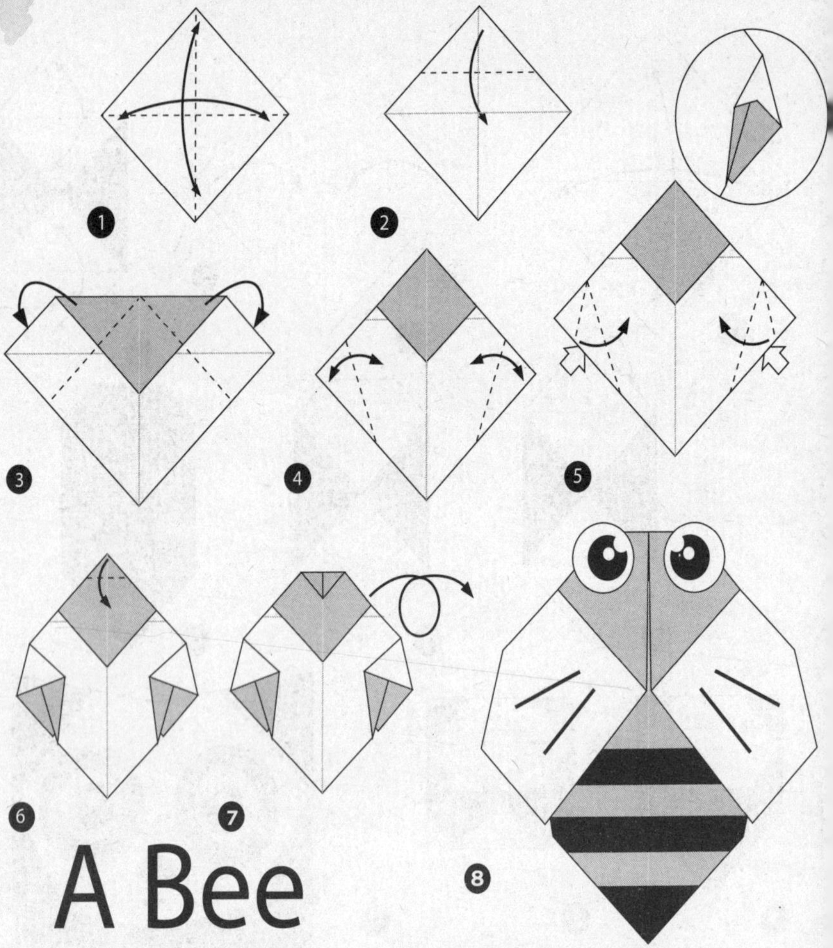

A Bee

Ao passo que você se diverte montando lindos origamis,
aproveite para aprender inglês e treinar a sua caligrafia!

Uma Abelha

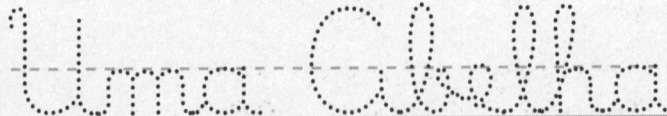

Preste muita atenção na sequência de ilustrações:

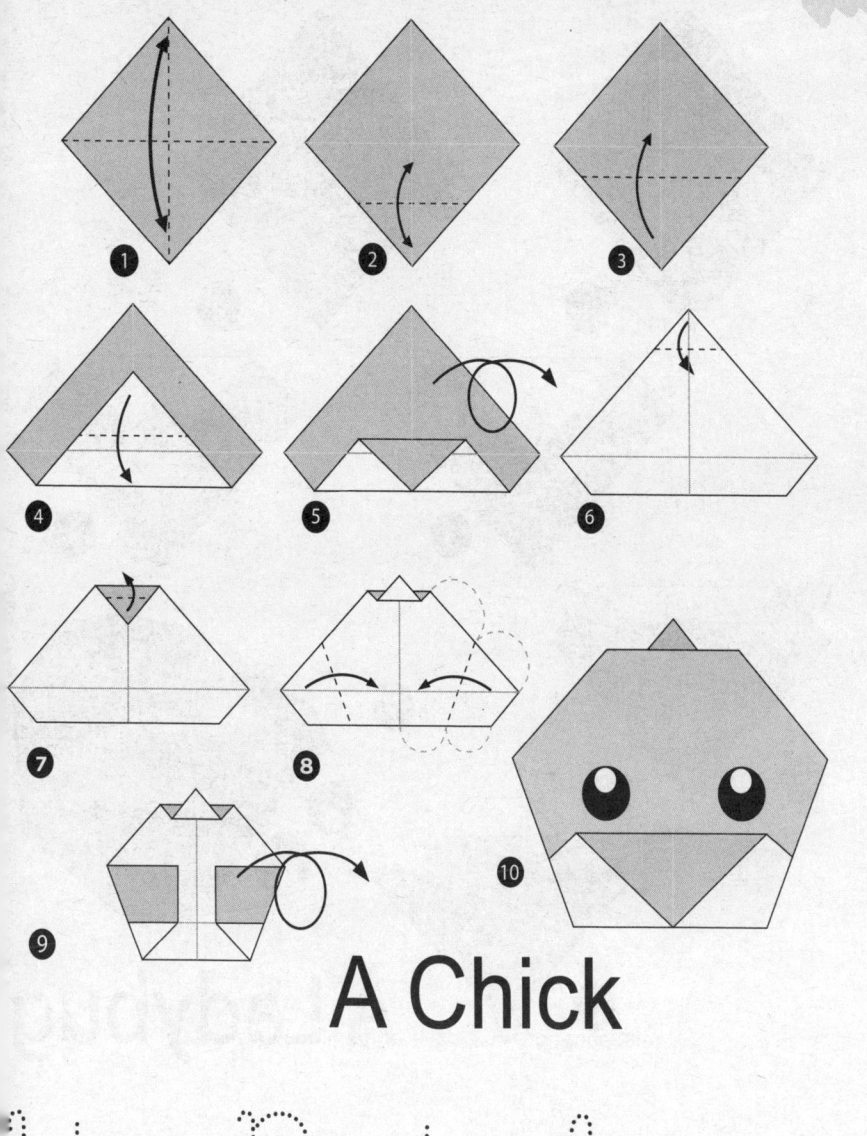

A Chick

Um Pintinho

Preste muita atenção na sequência de ilustrações:

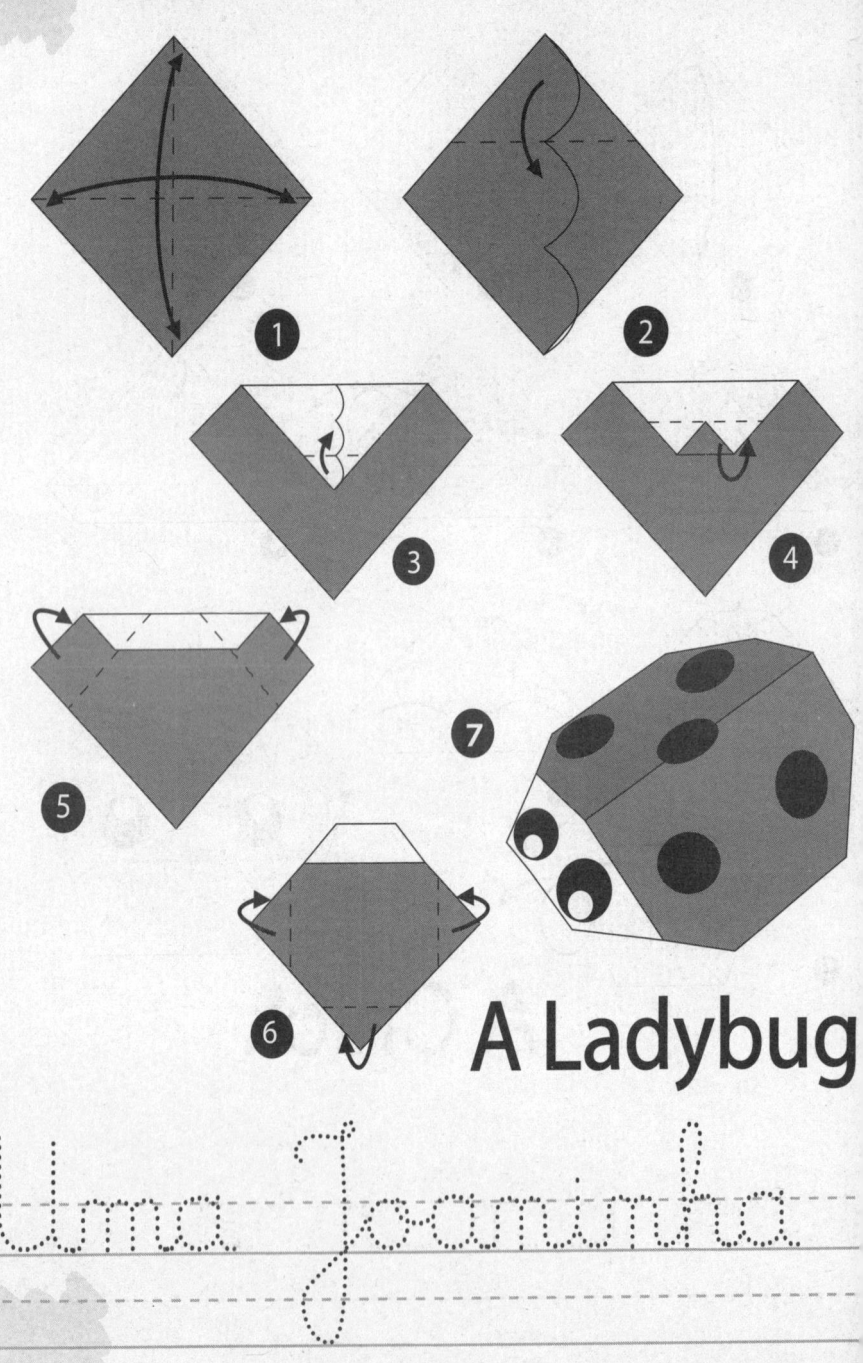

A Ladybug

Uma Joaninha

Preste muita atenção na sequência de ilustrações:

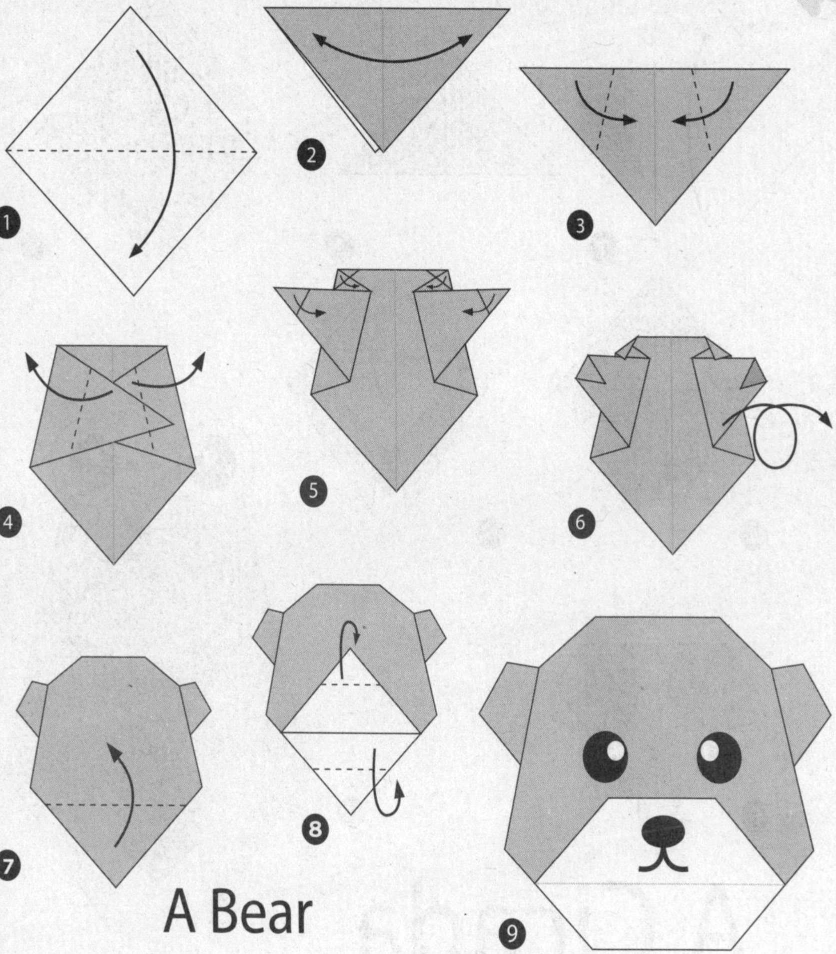

A Bear

Ao passo que você se diverte montando lindos origamis, aproveite para aprender inglês e treinar a sua caligrafia!

Um Urso

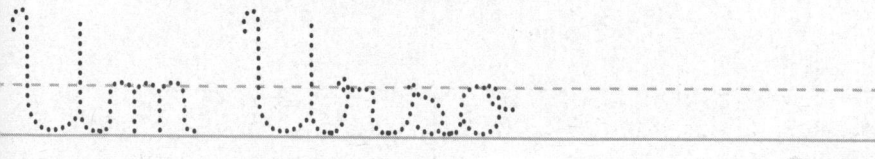

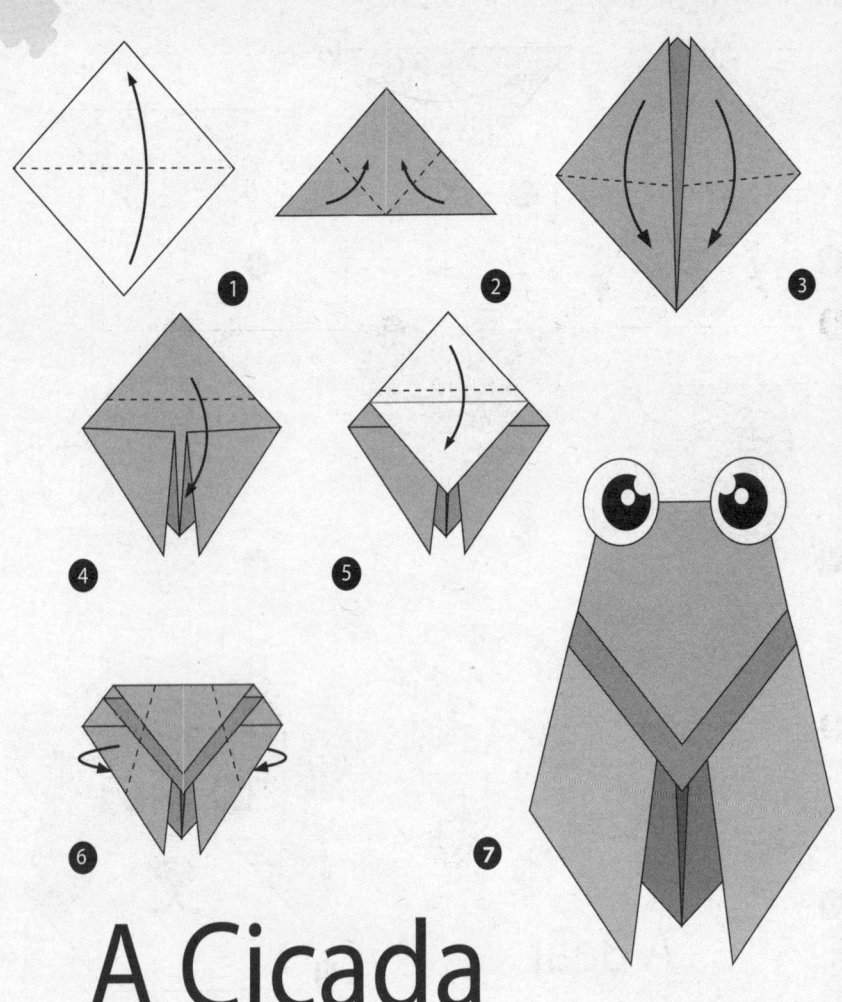

A Cicada

Uma Cigarra

Preste muita atenção na sequência de ilustrações:

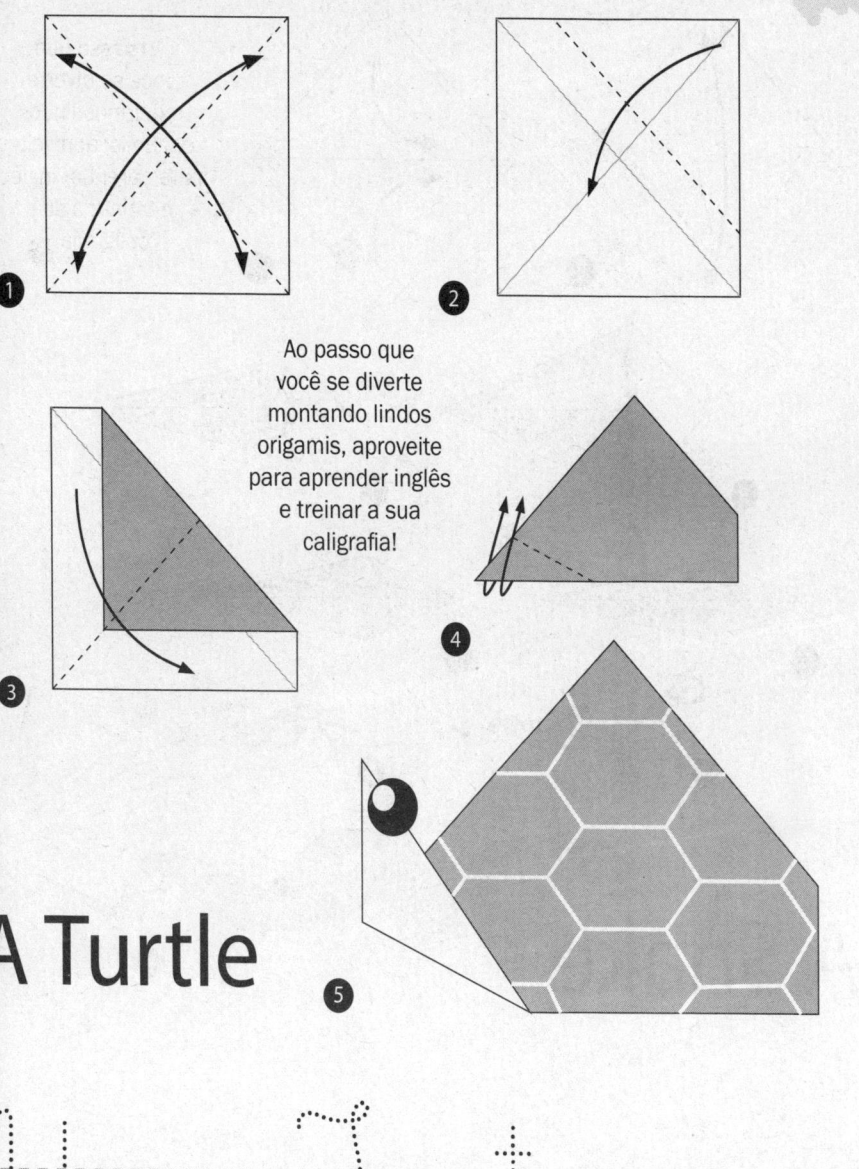

Ao passo que você se diverte montando lindos origamis, aproveite para aprender inglês e treinar a sua caligrafia!

A Turtle

Uma Tartaruga

Preste muita atenção na sequência de ilustrações:

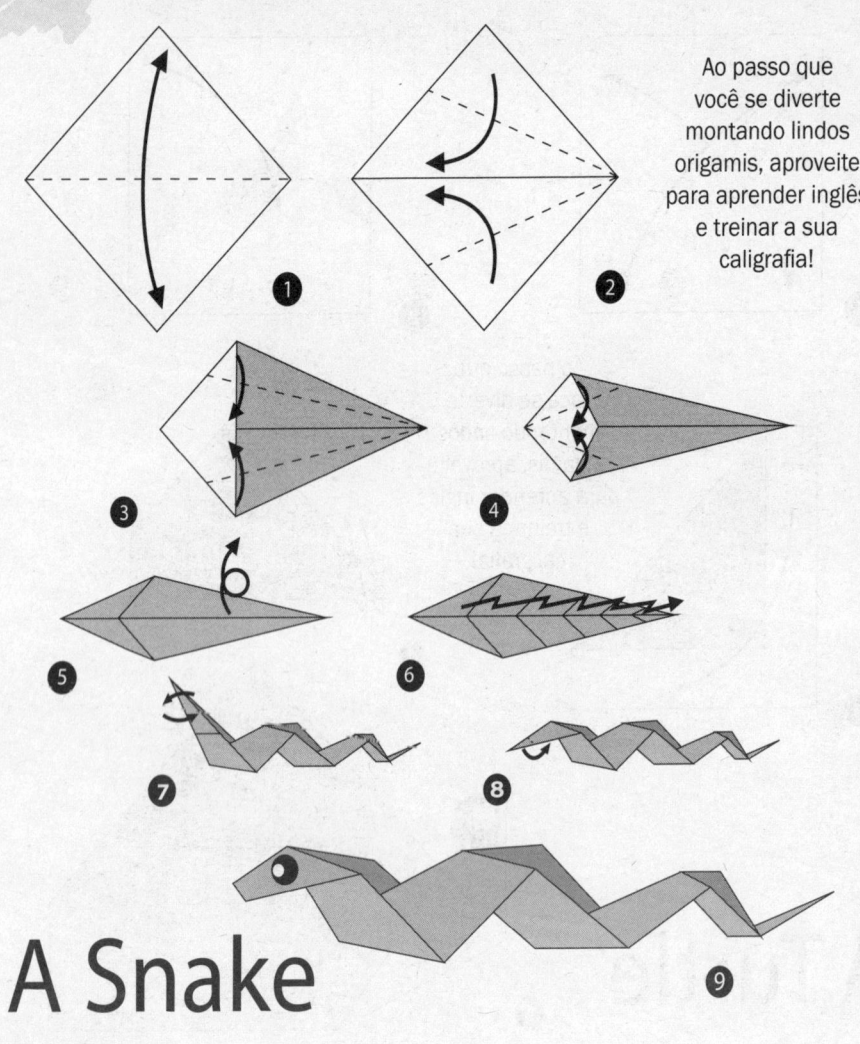

Ao passo que você se diverte montando lindos origamis, aproveite para aprender inglês e treinar a sua caligrafia!

A Snake

Uma Cobra

Preste muita atenção na sequência de ilustrações:

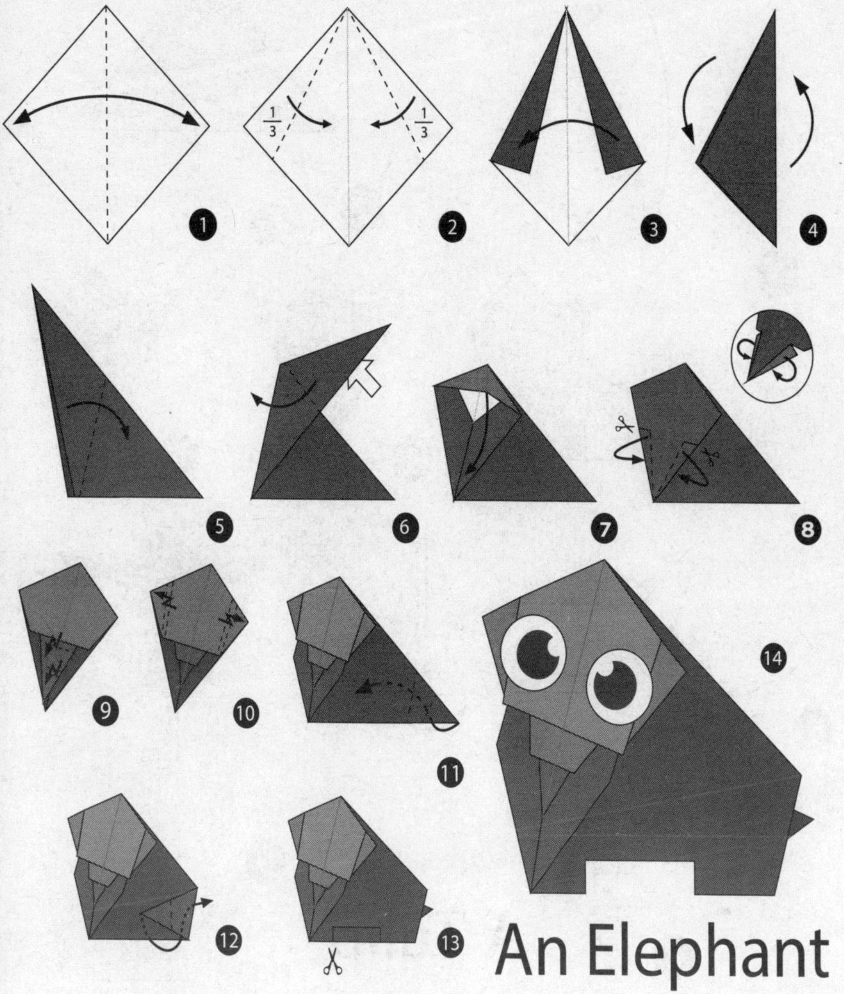

An Elephant

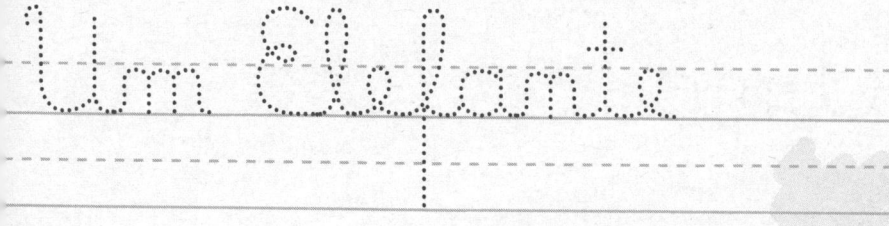

Um Elefante

Preste muita atenção na sequência de ilustrações:

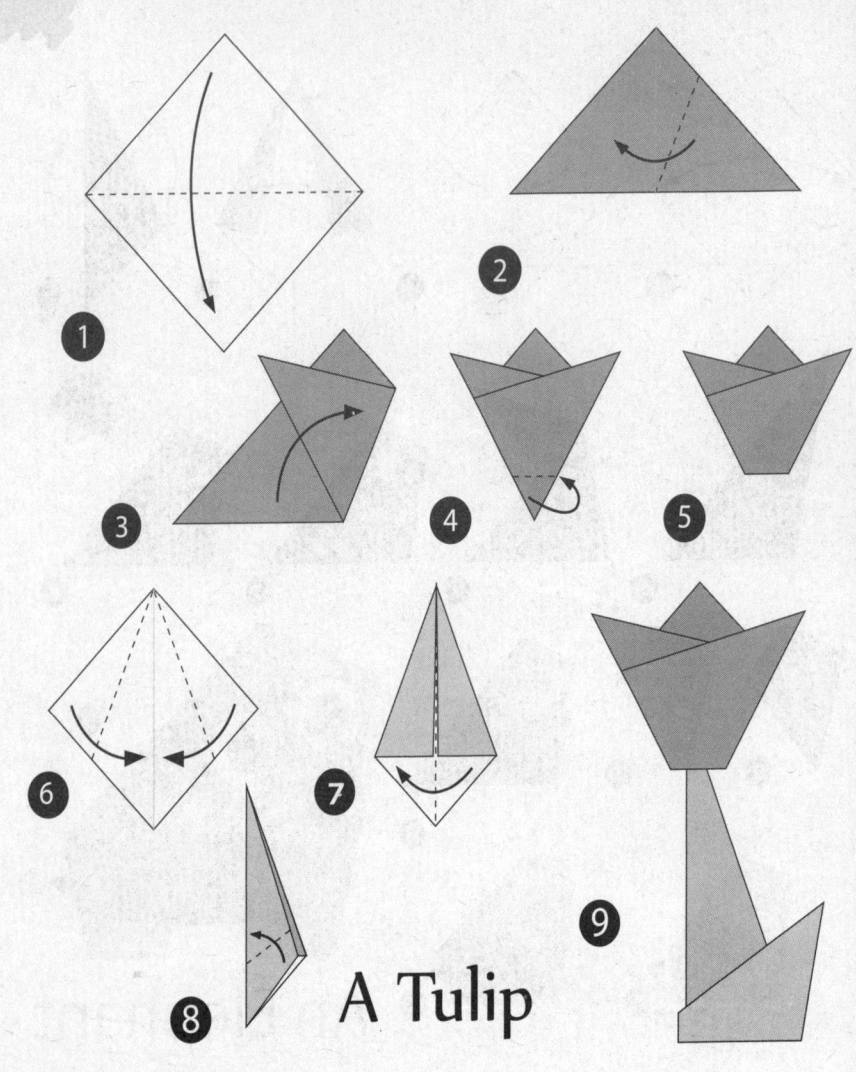

A Tulip

Uma Tulipa

Preste muita atenção na sequência de ilustrações:

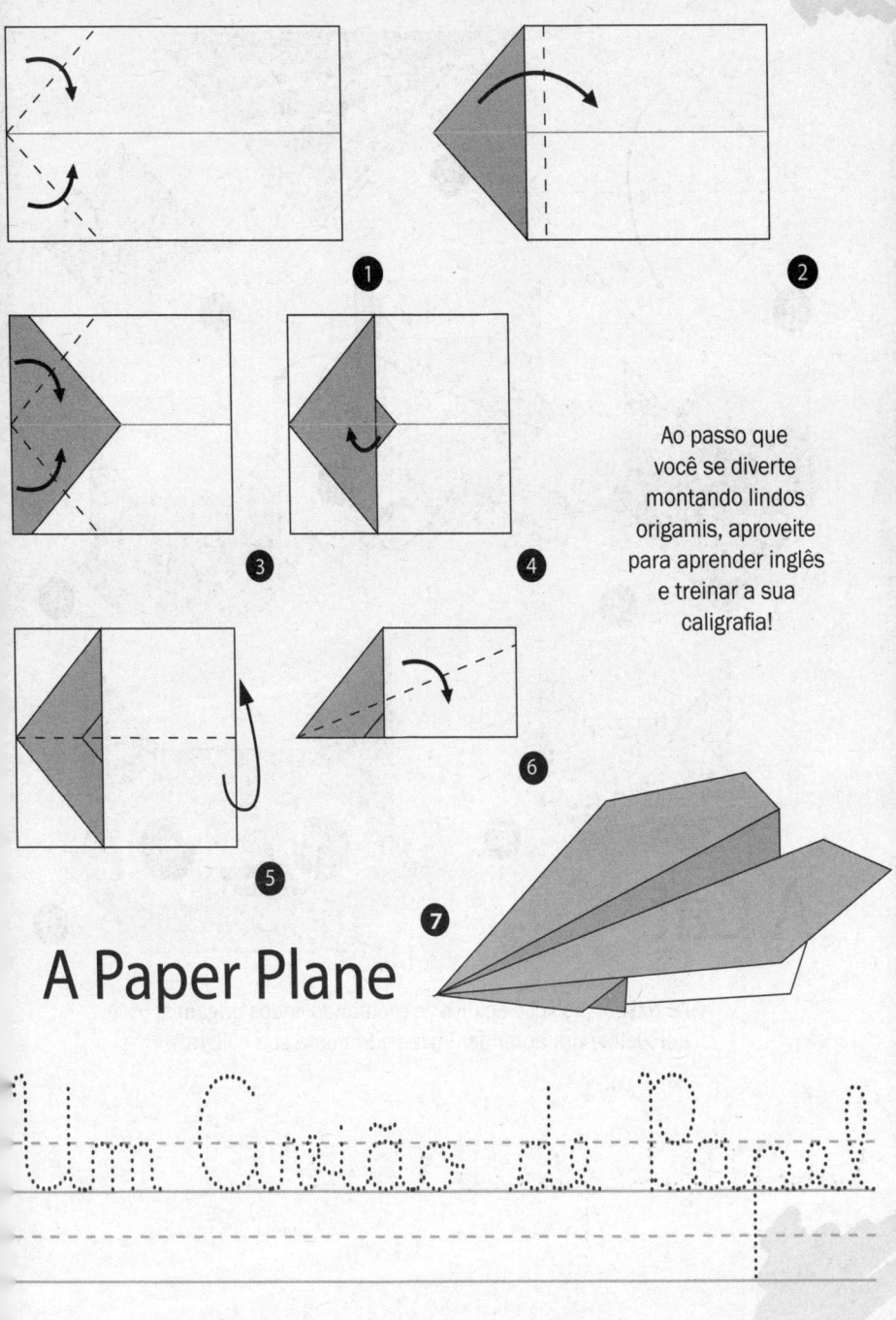

Ao passo que você se diverte montando lindos origamis, aproveite para aprender inglês e treinar a sua caligrafia!

A Paper Plane

Um Avião de Papel

Preste muita atenção na sequência de ilustrações:

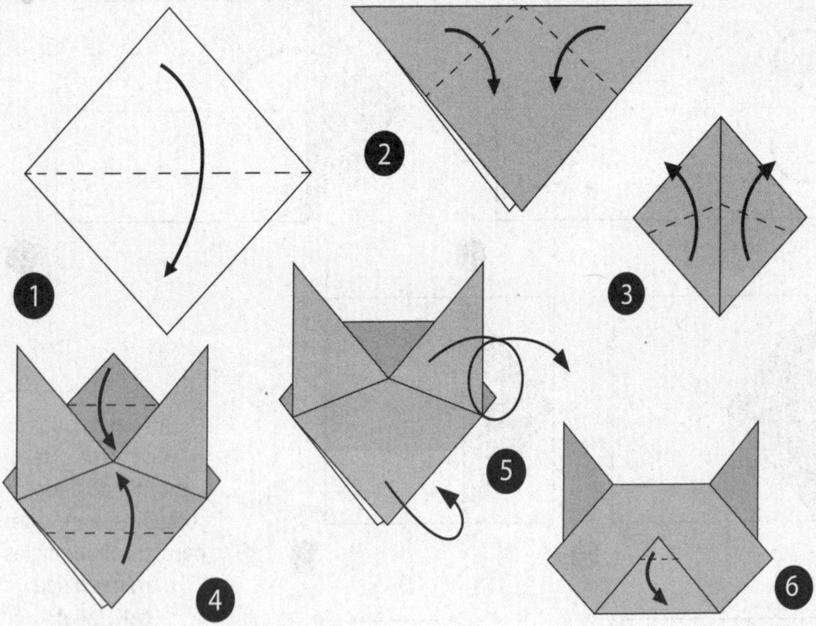

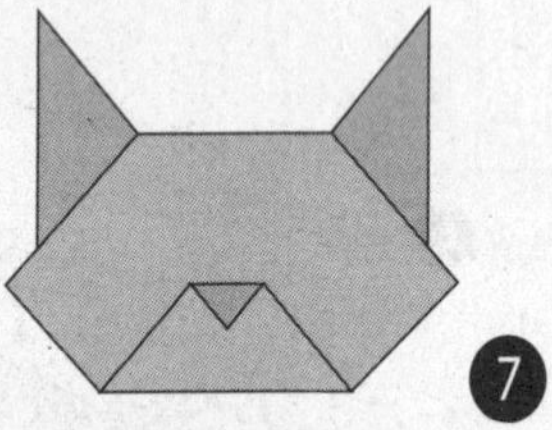

A Cat

Ao passo que você se diverte montando lindos origamis, aproveite para aprender inglês e treinar a sua caligrafia!

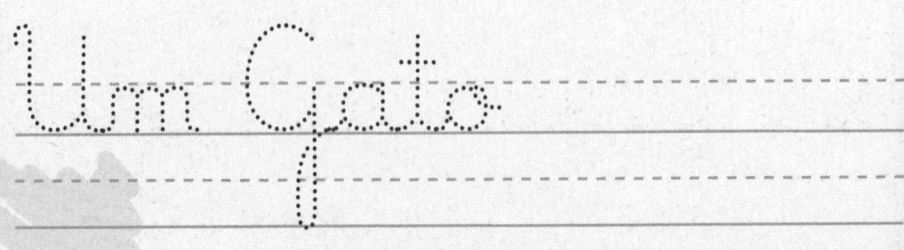

Um Gato

Preste muita atenção na sequência de ilustrações:

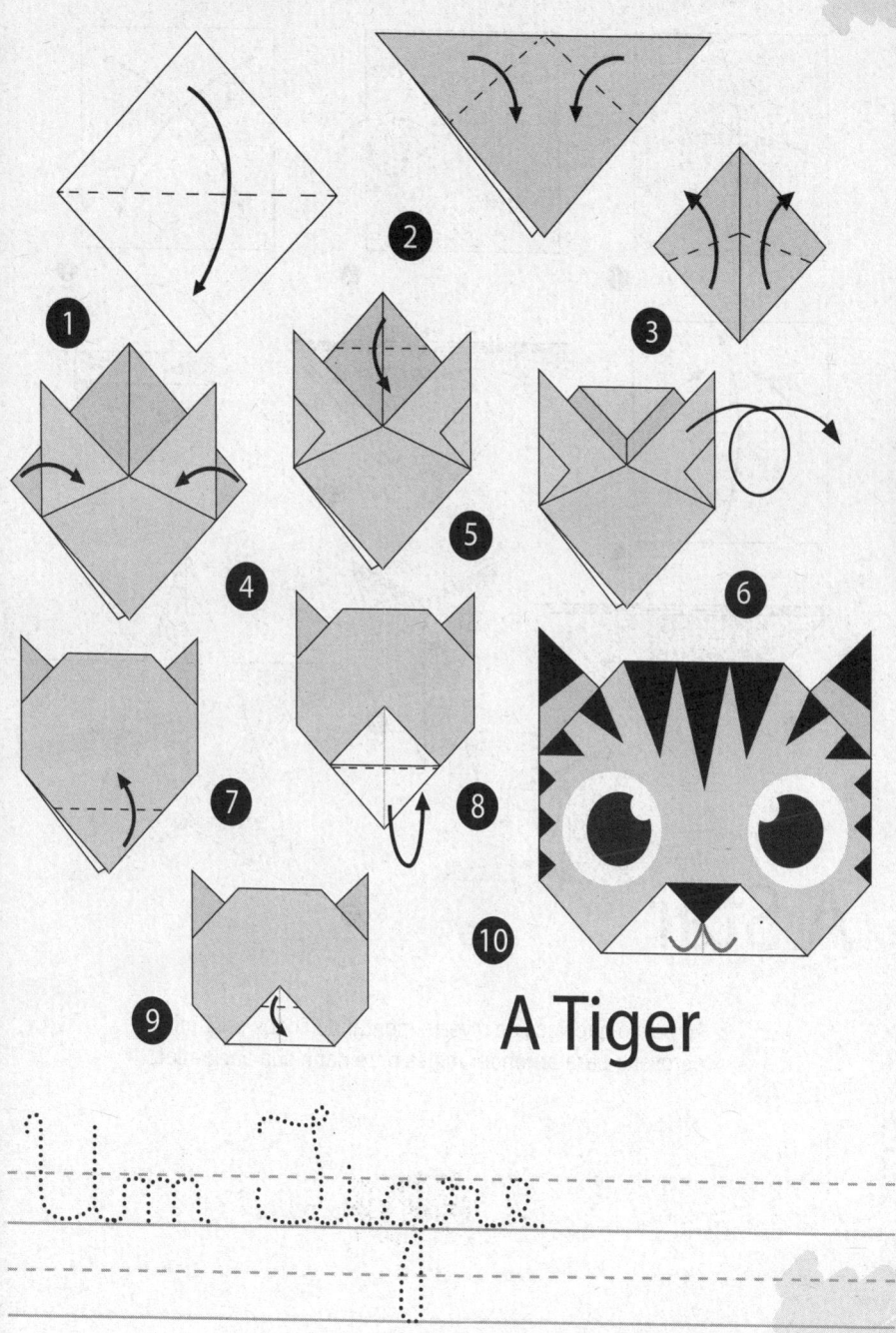

A Tiger

Um Tigre

Preste muita atenção na sequência de ilustrações:

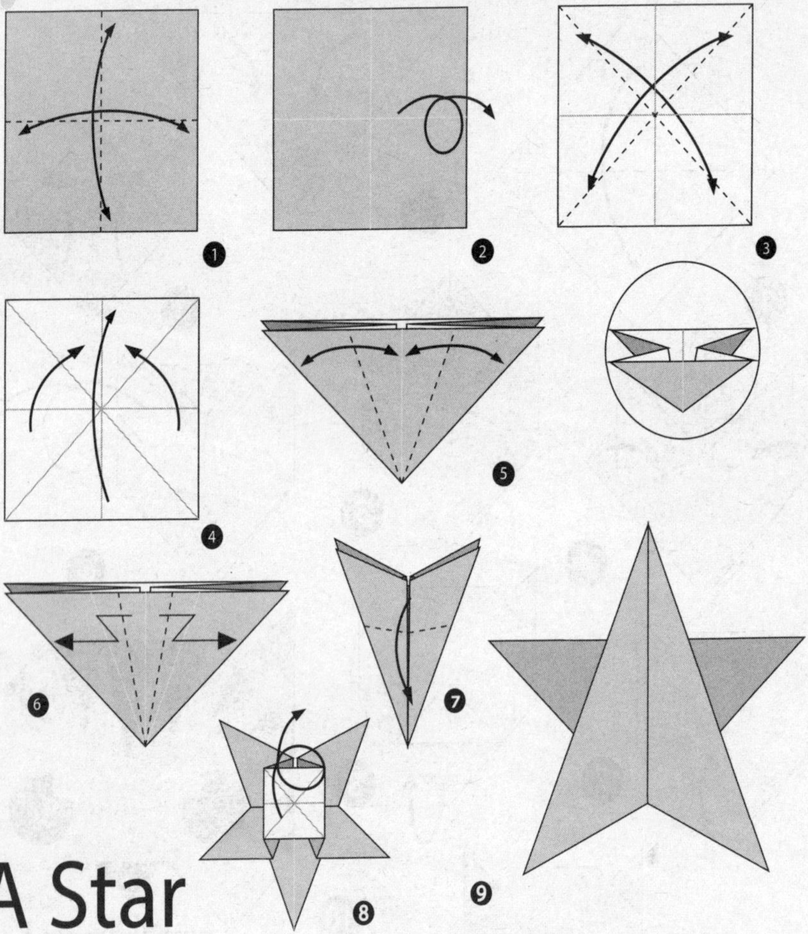

A Star

Ao passo que você se diverte montando lindos origamis, aproveite para aprender inglês e treinar a sua caligrafia!

Uma Estrela

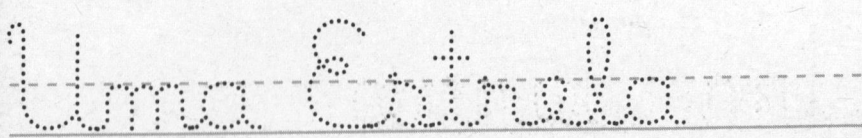

Preste muita atenção na sequência de ilustrações:

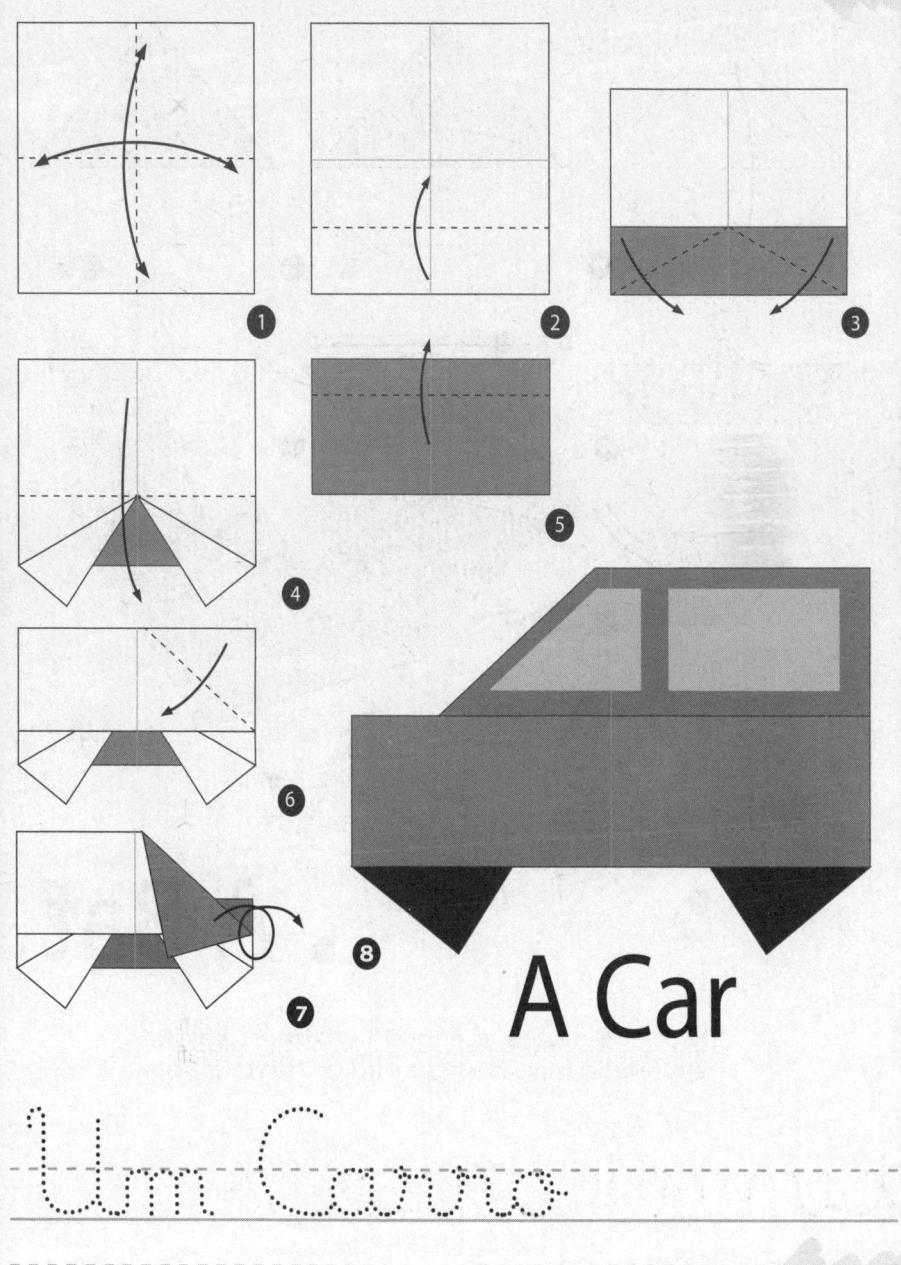

A Car

Um Carro

Preste muita atenção na sequência de ilustrações:

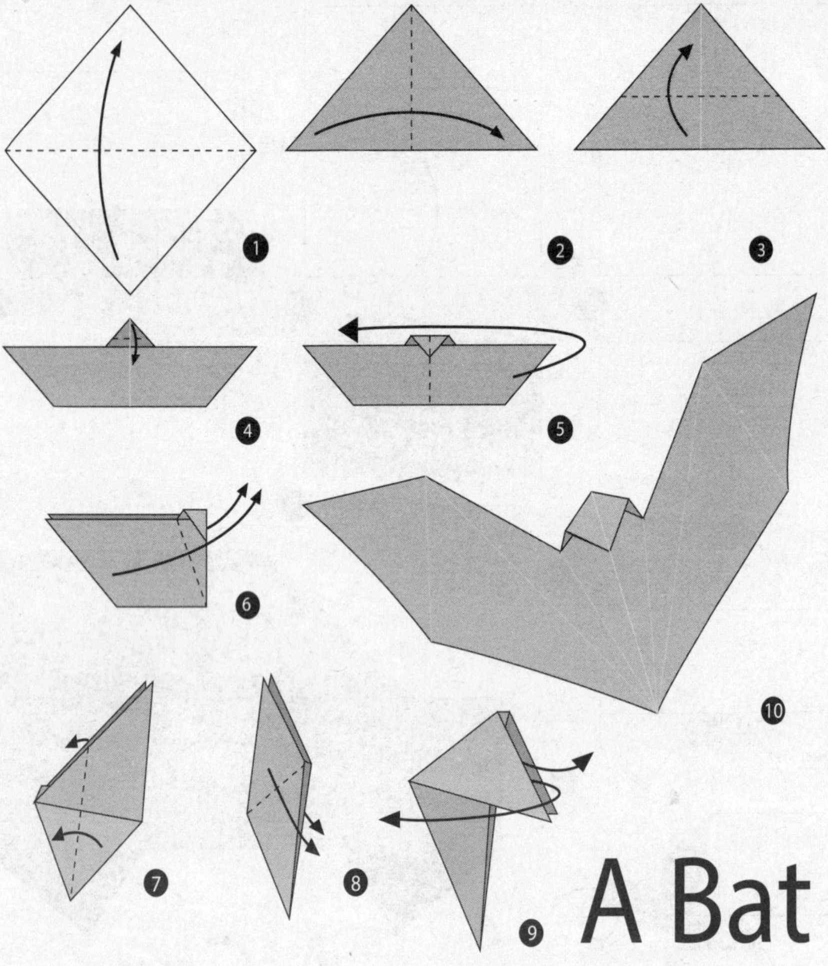

A Bat

Ao passo que você se diverte montando lindos origamis, aproveite para aprender inglês e treinar a sua caligrafia!

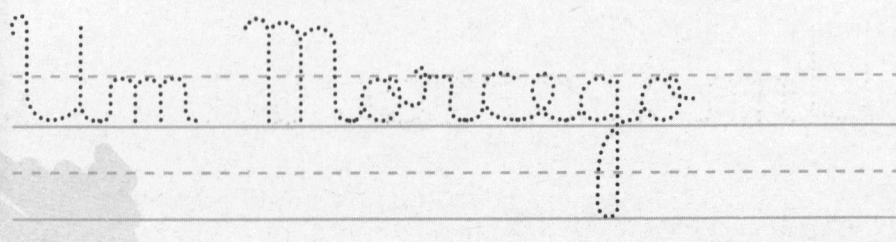

Um Morcego

Preste muita atenção na sequência de ilustrações:

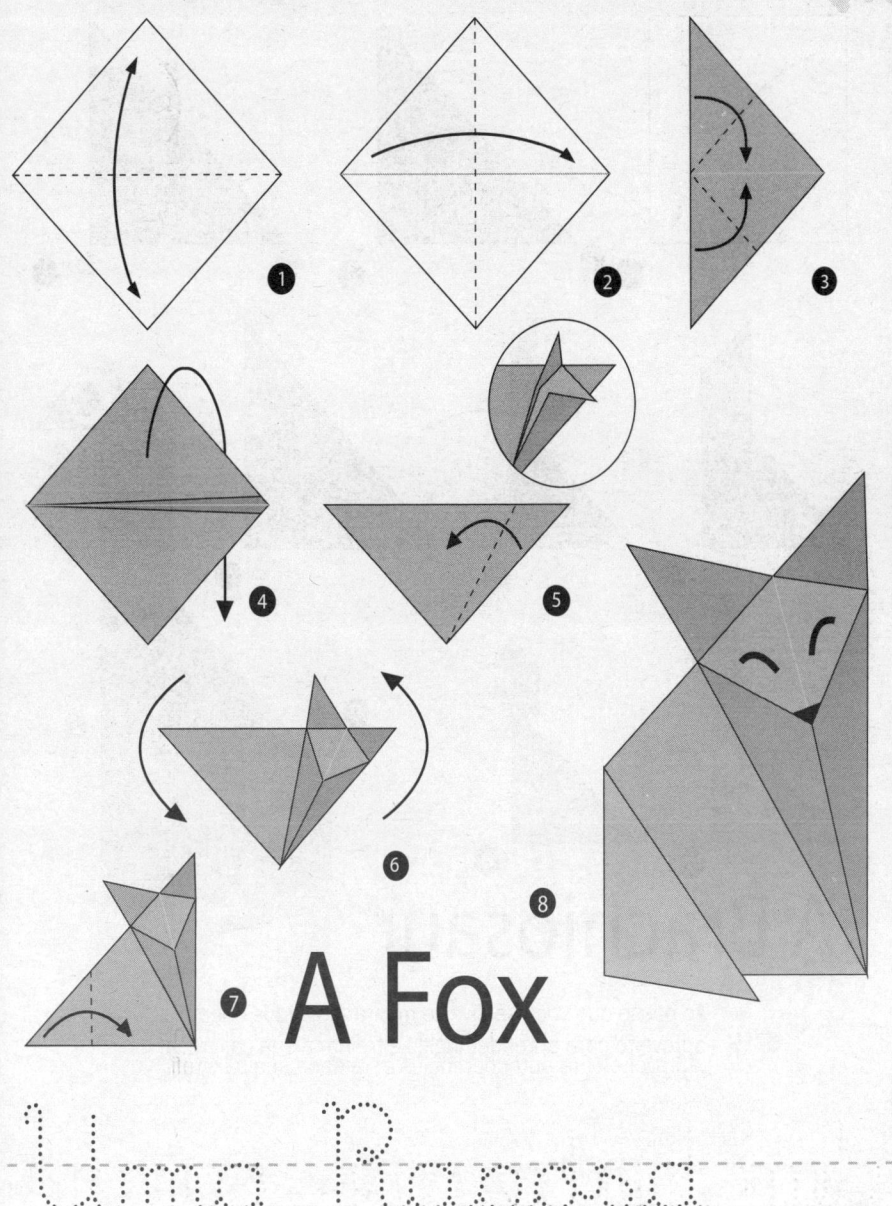

A Fox

Uma Raposa

Preste muita atenção na sequência de ilustrações:

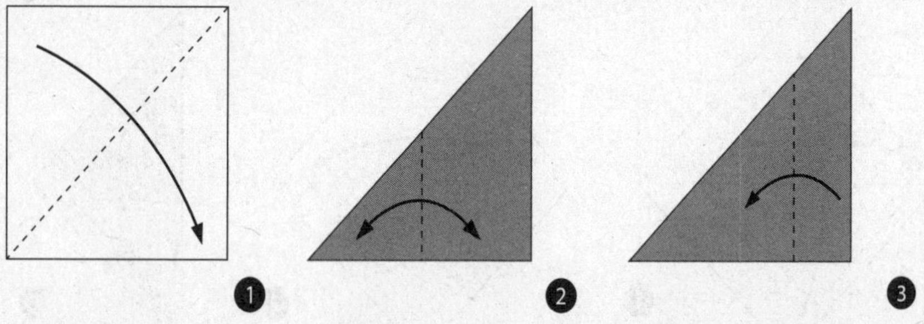

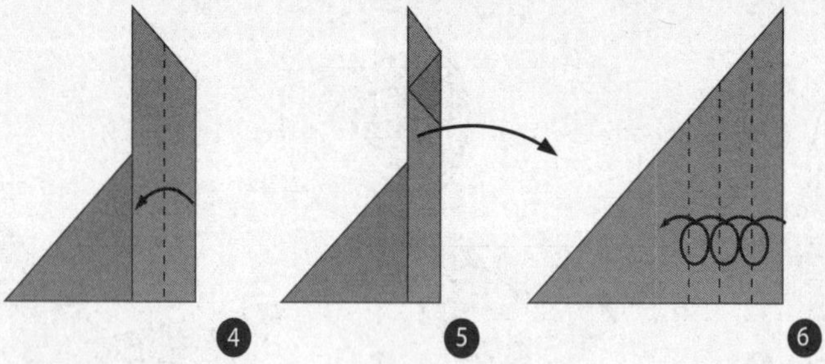

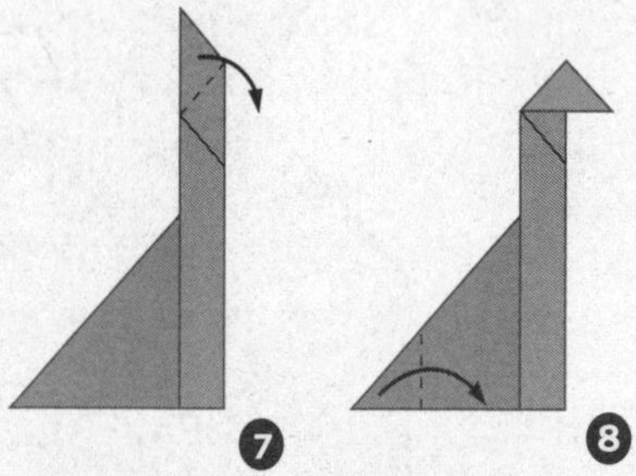

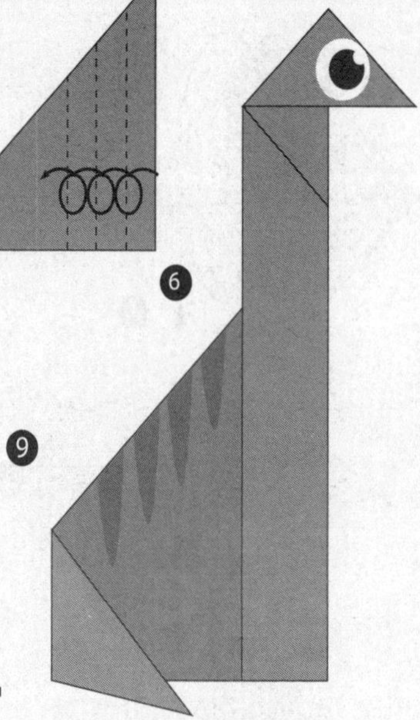

A Brachiosaur

Ao passo que você se diverte montando lindos origamis, aproveite para aprender inglês e treinar a sua caligrafia!

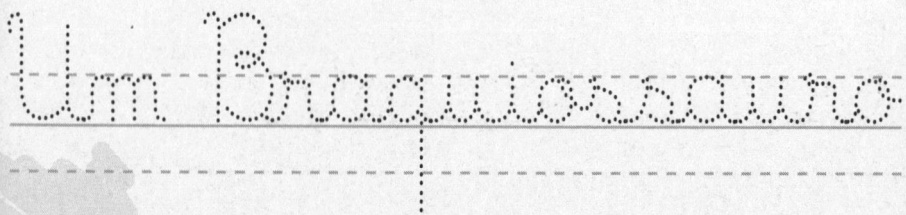

Um Braquiossauro

Preste muita atenção na sequência de ilustrações:

A Pigeon

Um Pombo

Preste muita atenção na sequência de ilustrações:

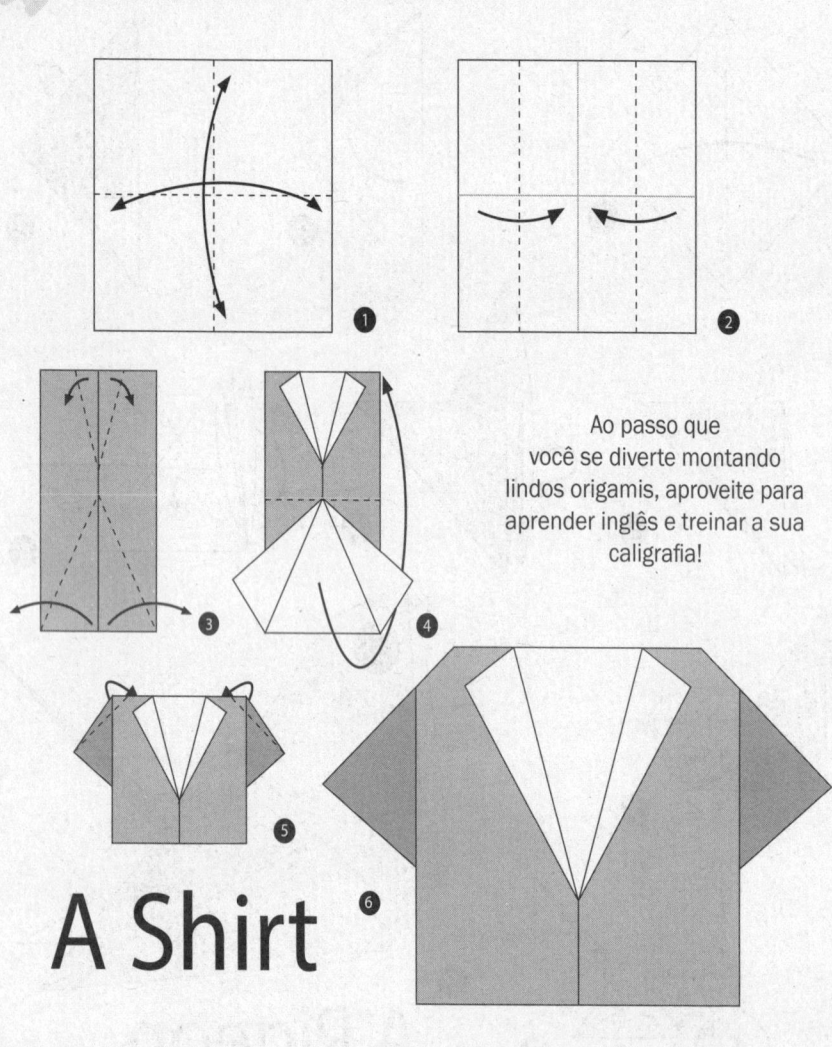

Ao passo que você se diverte montando lindos origamis, aproveite para aprender inglês e treinar a sua caligrafia!

A Shirt

Uma Camisa

Preste muita atenção na sequência de ilustrações:

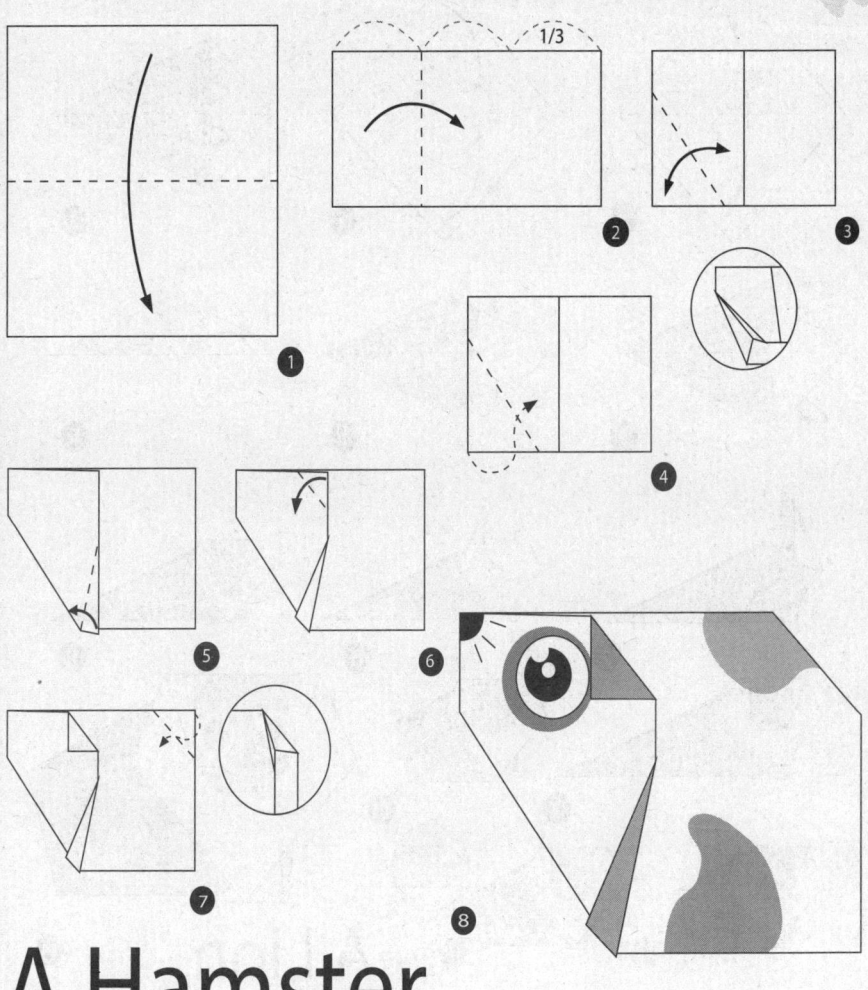

A Hamster

Um Hamster

Preste muita atenção na sequência de ilustrações:

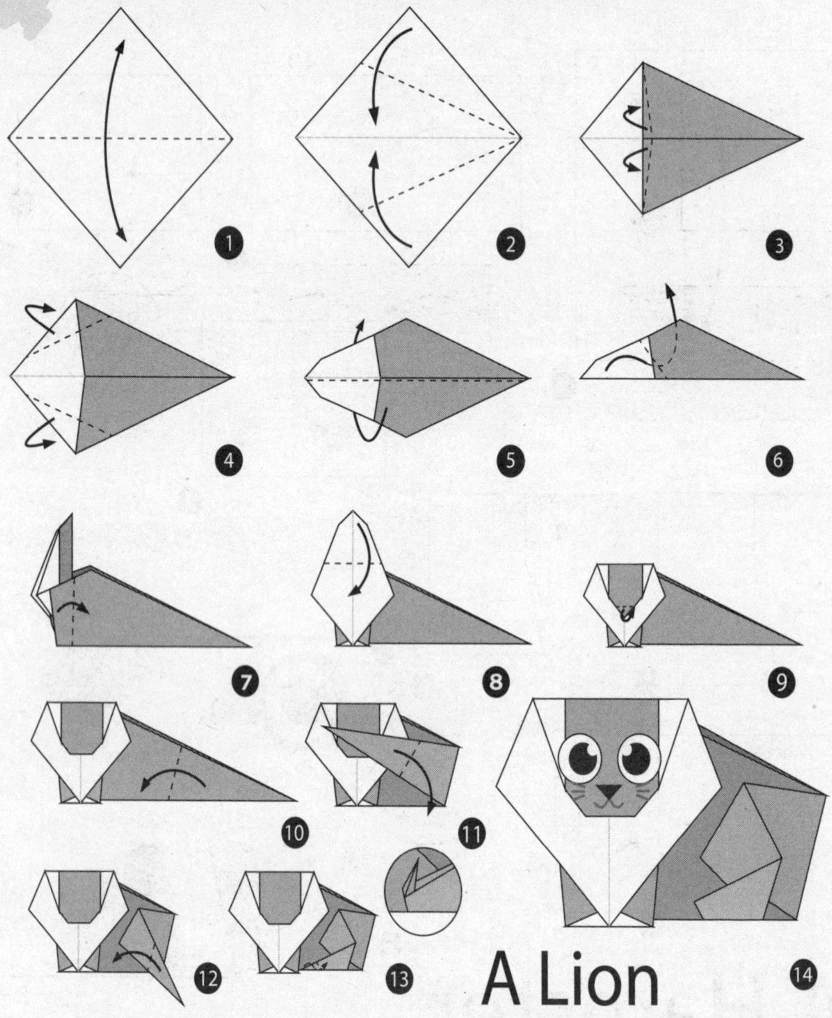

A Lion

Ao passo que você se diverte montando lindos origamis, aproveite para aprender inglês e treinar a sua caligrafia!

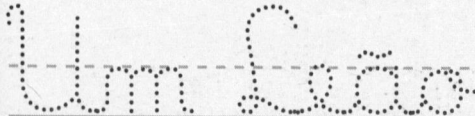
Um Leão

Preste muita atenção na sequência de ilustrações:

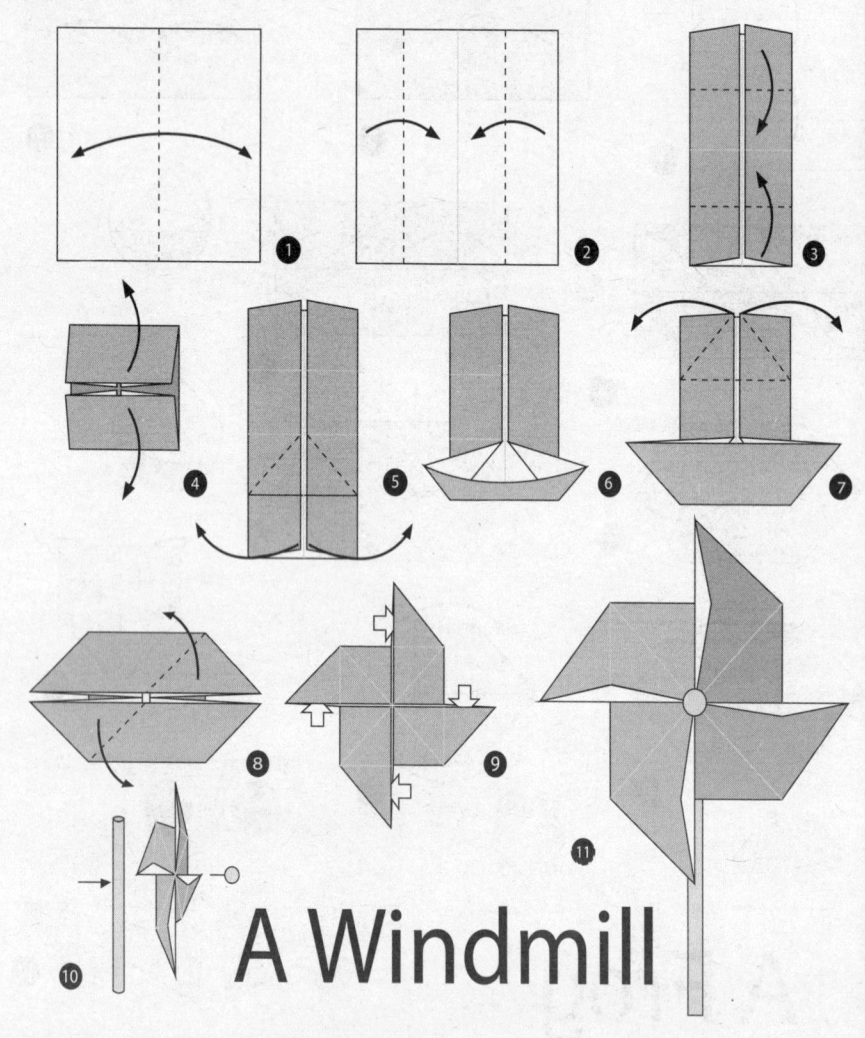

A Windmill

Um Moinho de Vento

Preste muita atenção na sequência de ilustrações:

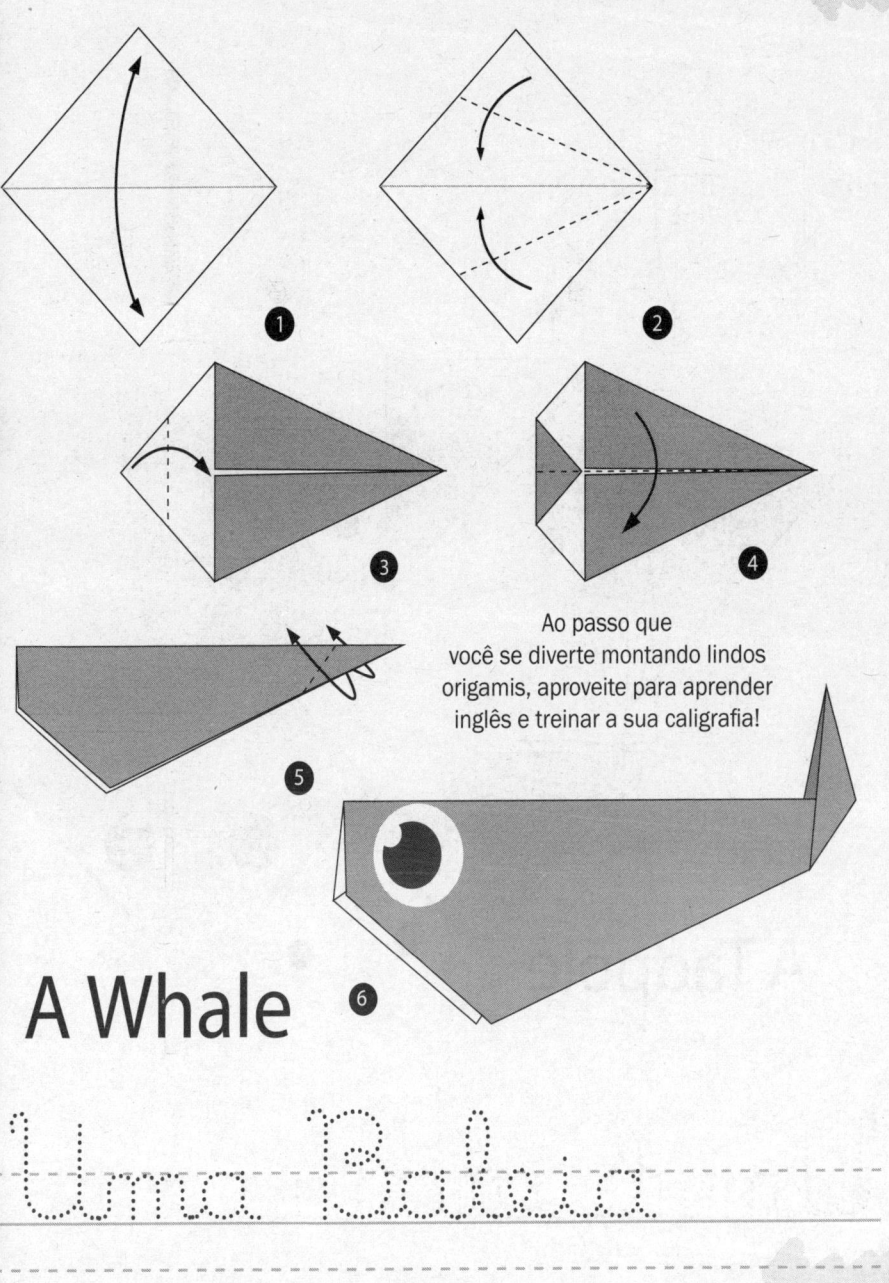

Ao passo que você se diverte montando lindos origamis, aproveite para aprender inglês e treinar a sua caligrafia!

A Whale

Uma Baleia

Preste muita atenção na sequência de ilustrações:

A Tadpole

Um Girino

Preste muita atenção na sequência de ilustrações:

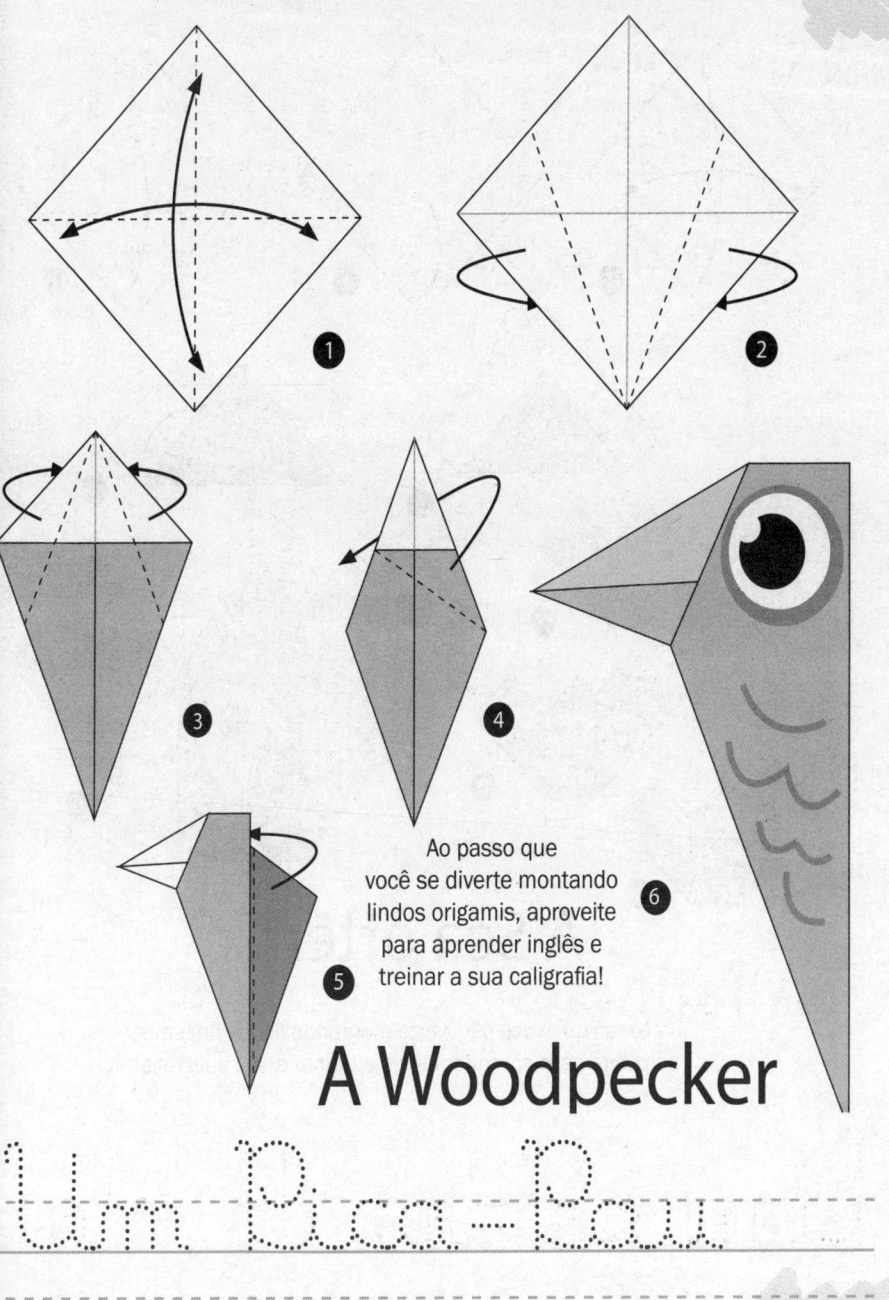

Ao passo que você se diverte montando lindos origamis, aproveite para aprender inglês e treinar a sua caligrafia!

A Woodpecker

Um Pica-Pau

Preste muita atenção na sequência de ilustrações:

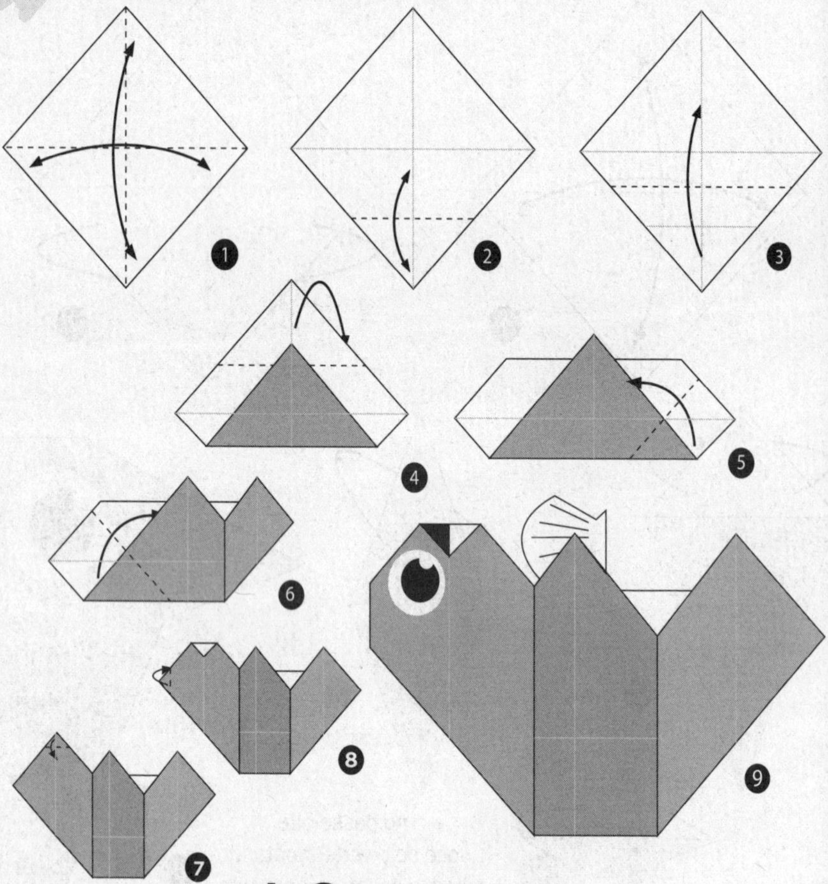

A Sea otter

Ao passo que você se diverte montando lindos origamis, aproveite para aprender inglês e treinar a sua caligrafia!

Uma Lontra do Mar

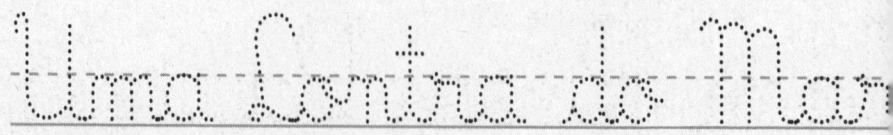

Preste muita atenção na sequência de ilustrações:

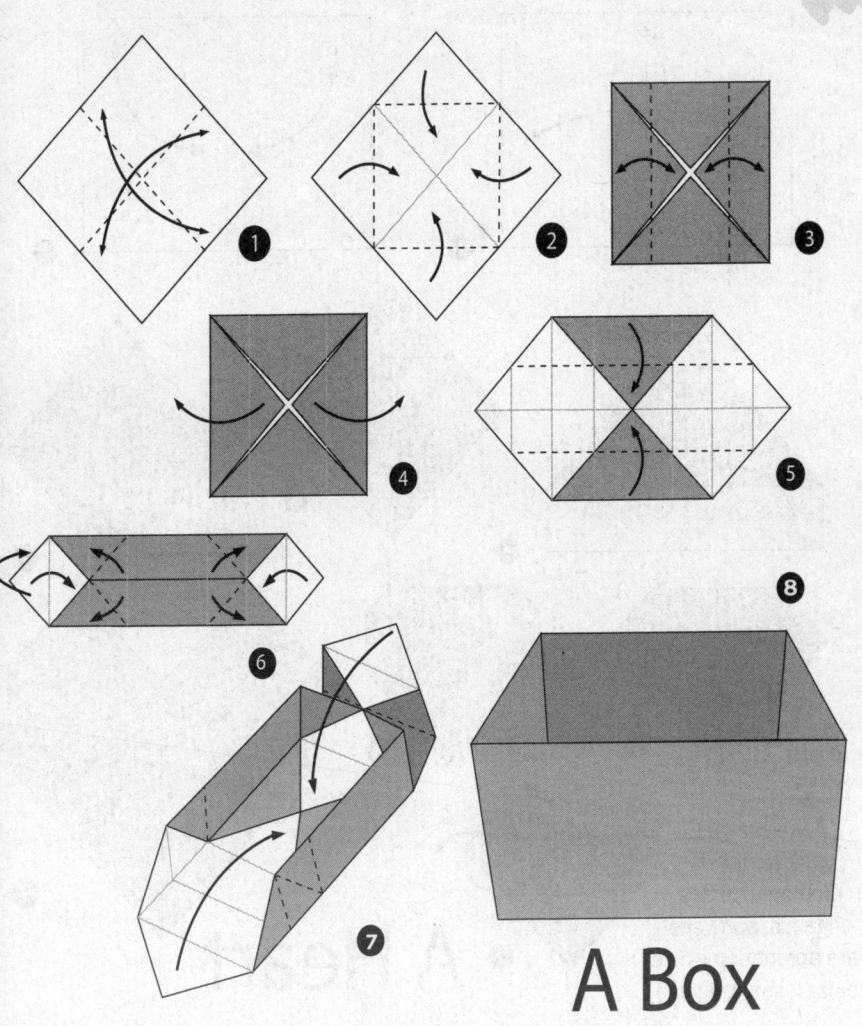

A Box

Uma Caixa

Preste muita atenção na sequência de ilustrações:

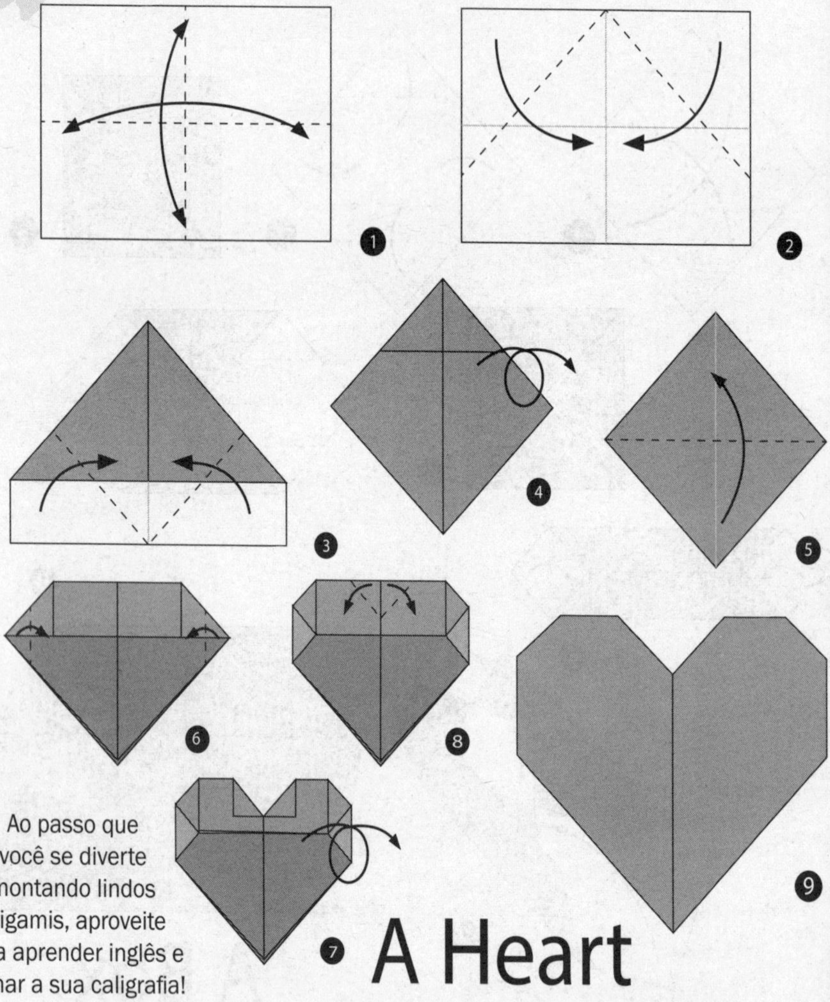

Ao passo que você se diverte montando lindos origamis, aproveite para aprender inglês e treinar a sua caligrafia!

A Heart

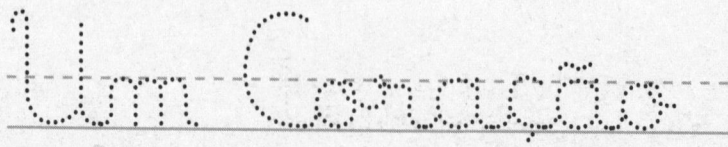

Um Coração

Preste muita atenção na sequência de ilustrações:

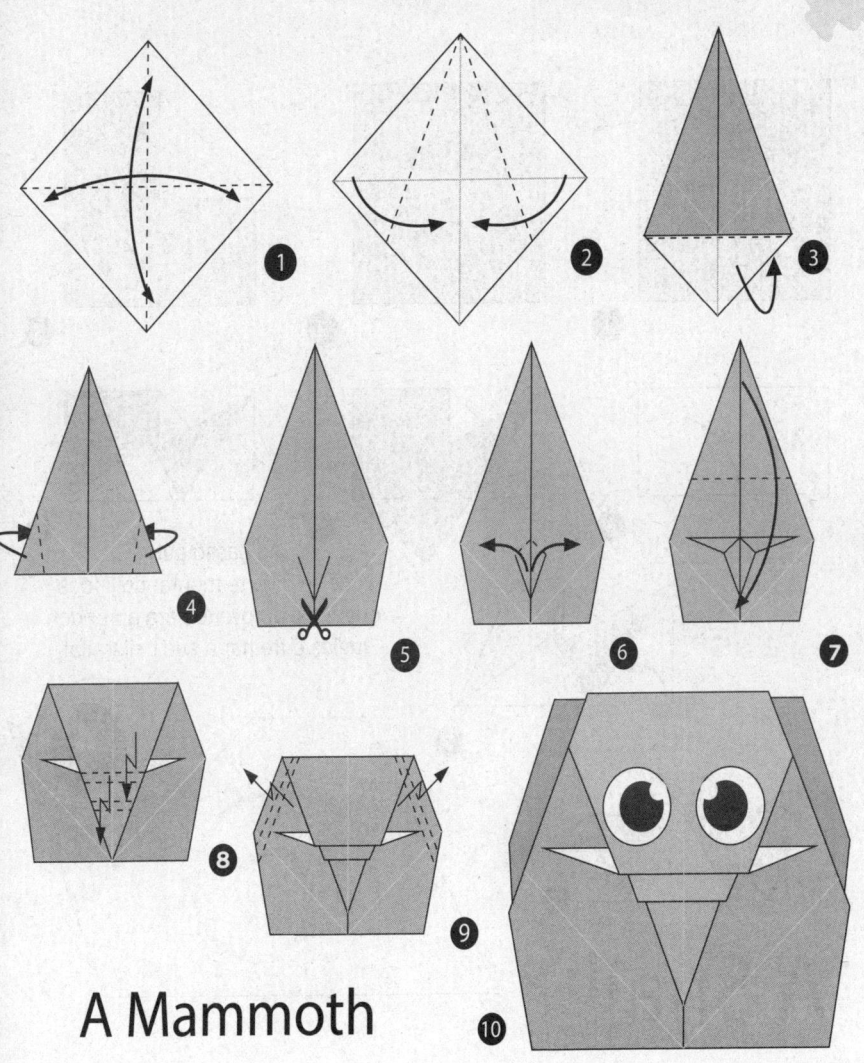

A Mammoth

Um Mamute

Preste muita atenção na sequência de ilustrações:

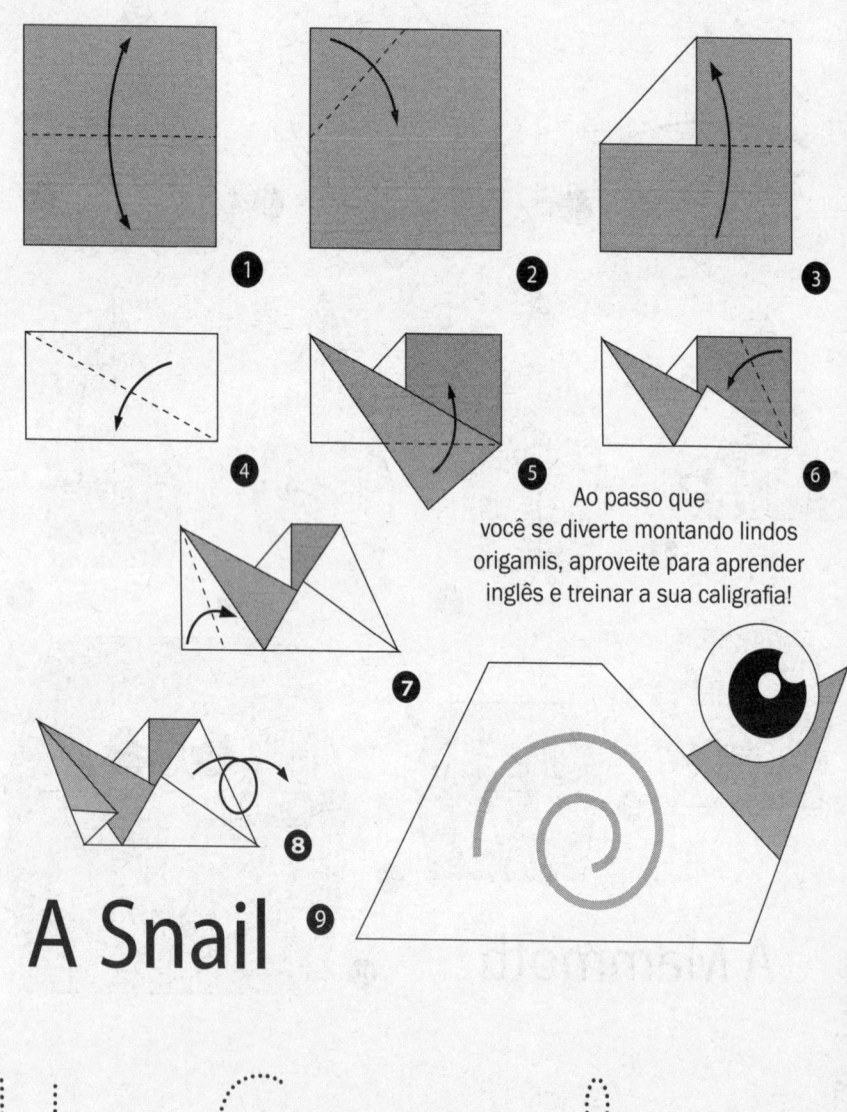

Ao passo que você se diverte montando lindos origamis, aproveite para aprender inglês e treinar a sua caligrafia!

A Snail

Um Caracol

Preste muita atenção na sequência de ilustrações:

A Pelican

Um Pelicano

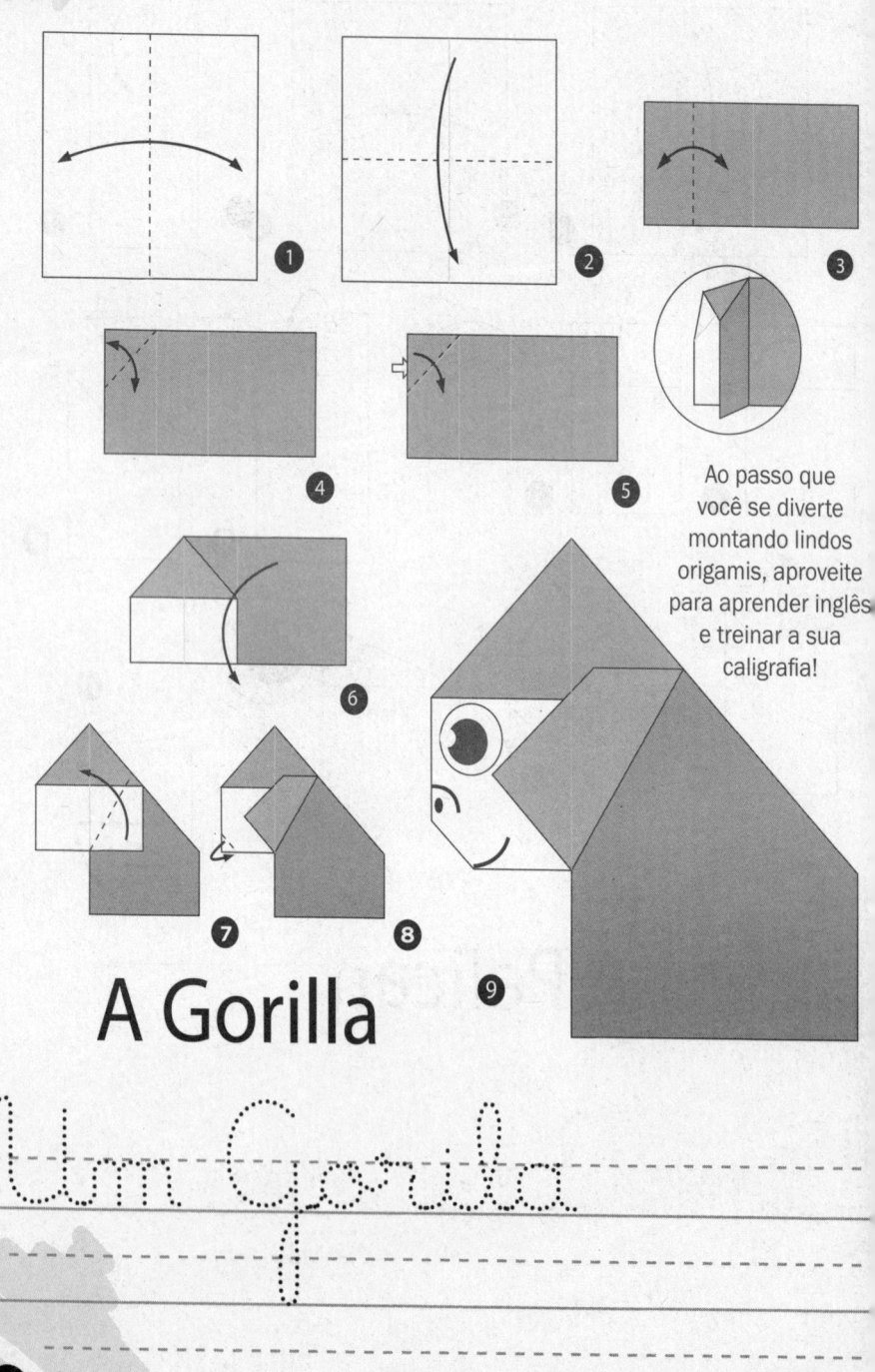

Preste muita atenção na sequência de ilustrações:

Ao passo que você se diverte montando lindos origamis, aproveite para aprender inglês e treinar a sua caligrafia!

A Gorilla

Um Gorila

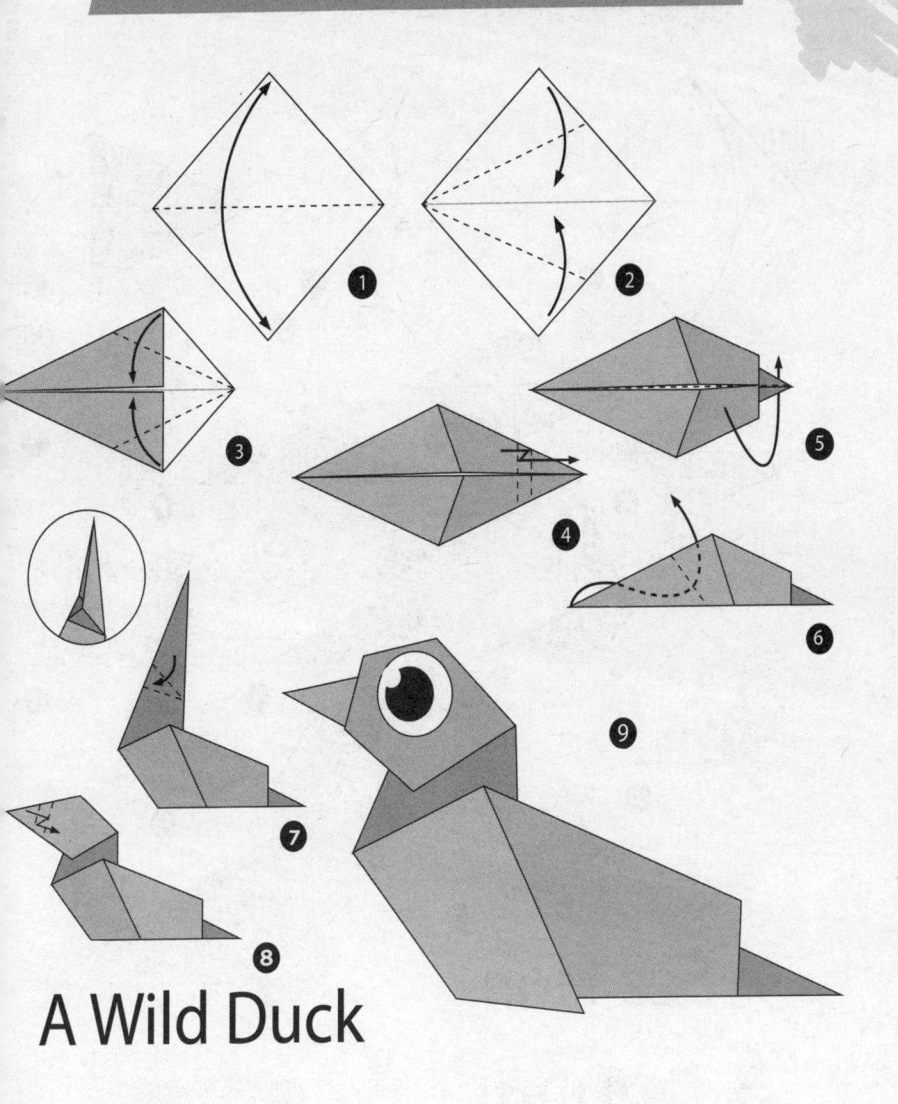

Preste muita atenção na sequência de ilustrações:

A Wild Duck

Um Pato Selvagem

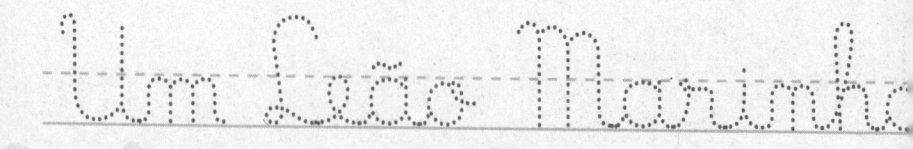

Preste muita atenção na sequência de ilustrações:

A Sea Lion

Ao passo que você se diverte montando lindos origamis, aproveite para aprender inglês e treinar a sua caligrafia!

Um Leão Marinho

Preste muita atenção na sequência de ilustrações:

A Sparrow

Um Pardal

Preste muita atenção na sequência de ilustrações:

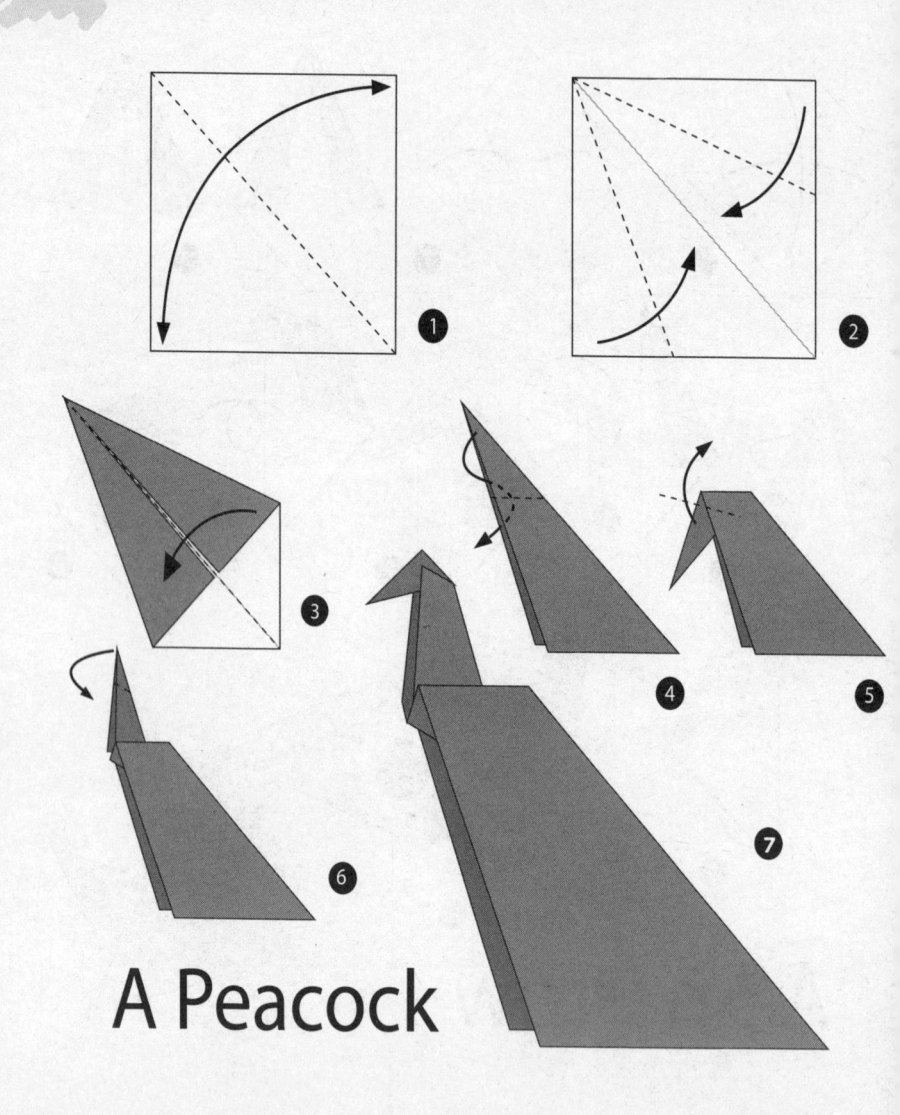

A Peacock

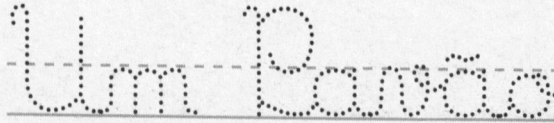

Um Pavão

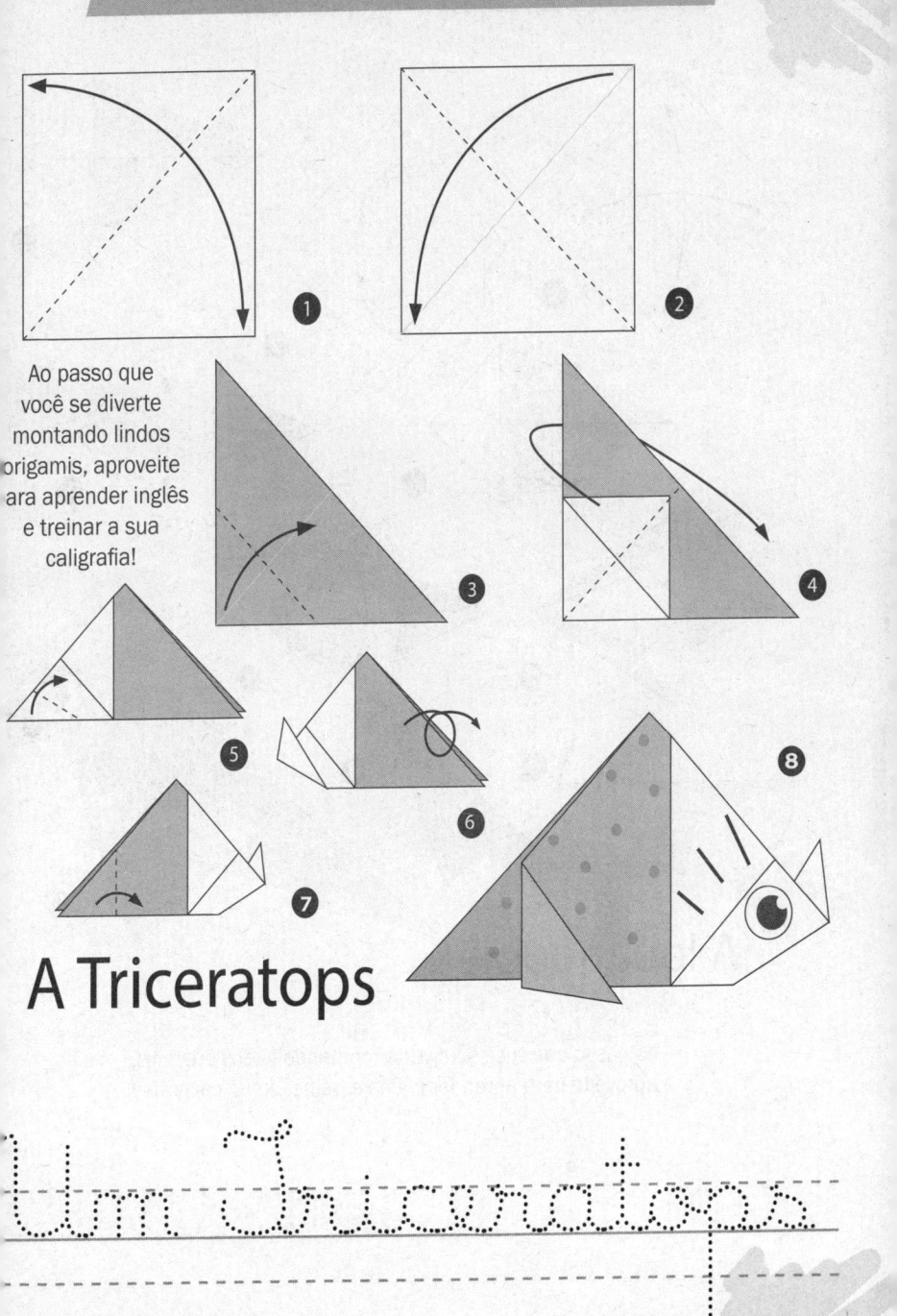

Preste muita atenção na sequência de ilustrações:

Ao passo que você se diverte montando lindos origamis, aproveite para aprender inglês e treinar a sua caligrafia!

A Triceratops

Um Triceratops

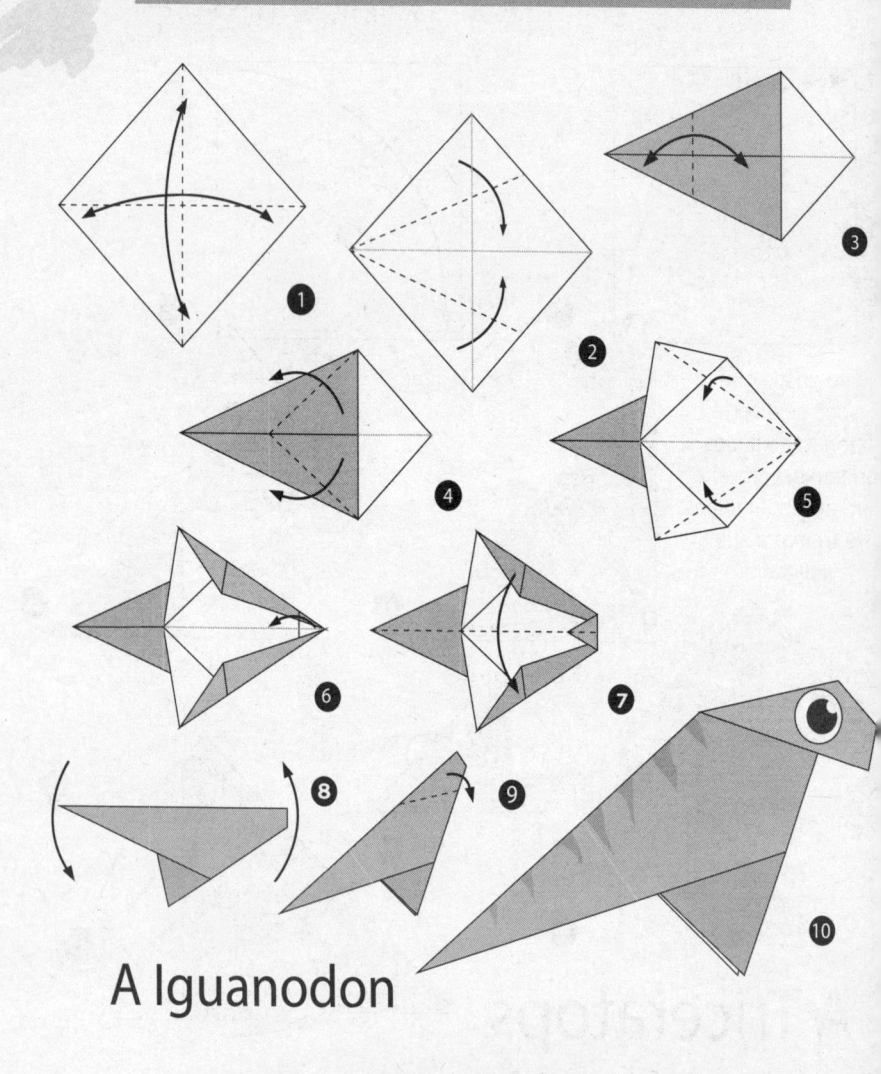

Preste muita atenção na sequência de ilustrações:

A Iguanodon

Ao passo que você se diverte montando lindos origamis, aproveite para aprender inglês e treinar a sua caligrafia!

Um Iguanodont

Preste muita atenção na sequência de ilustrações:

Bananas

Bananas

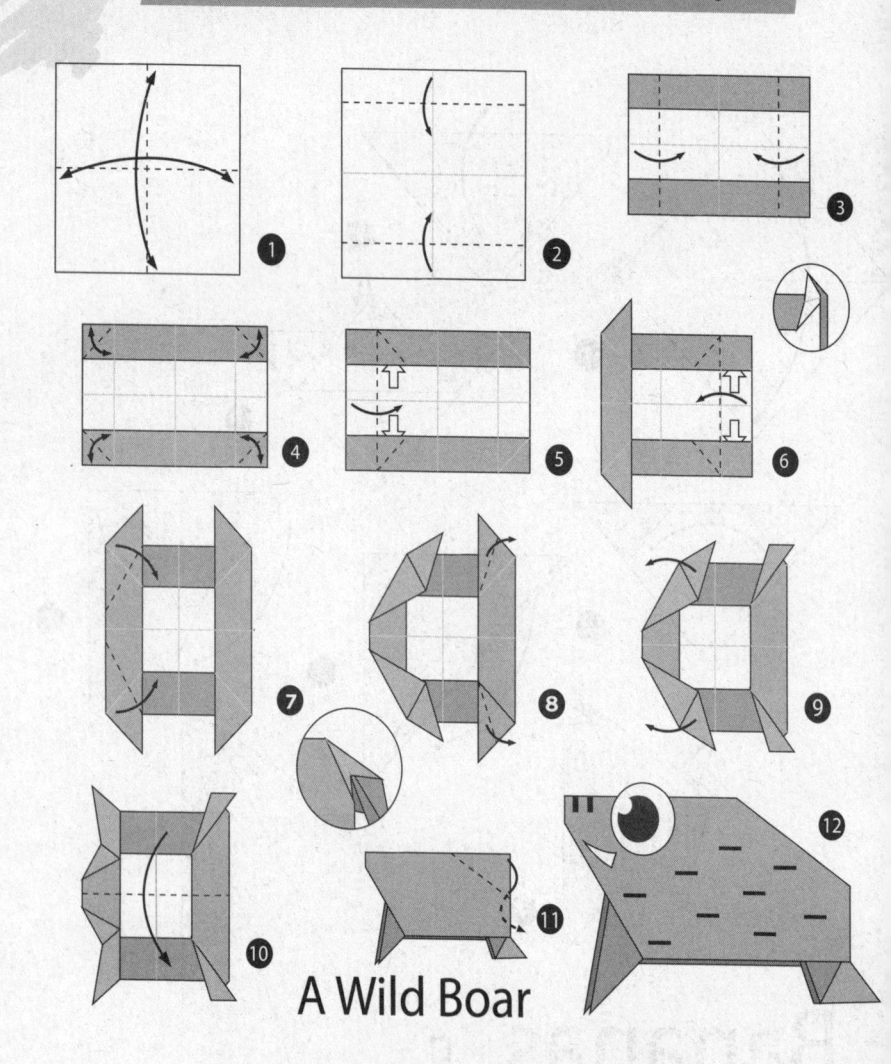

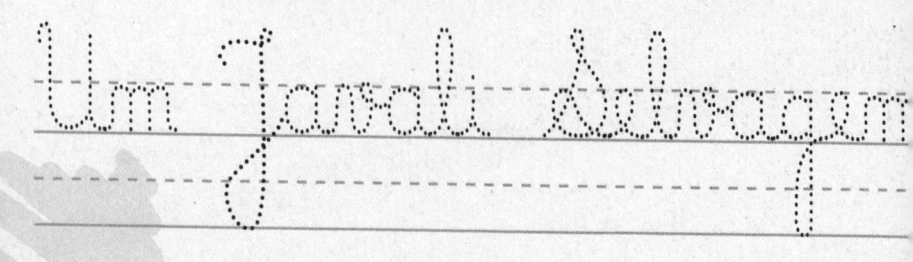

Preste muita atenção na sequência de ilustrações:

A Wild Boar

Ao passo que você se diverte montando lindos origamis, aproveite para aprender inglês e treinar a sua caligrafia!

Um Javali Selvagem

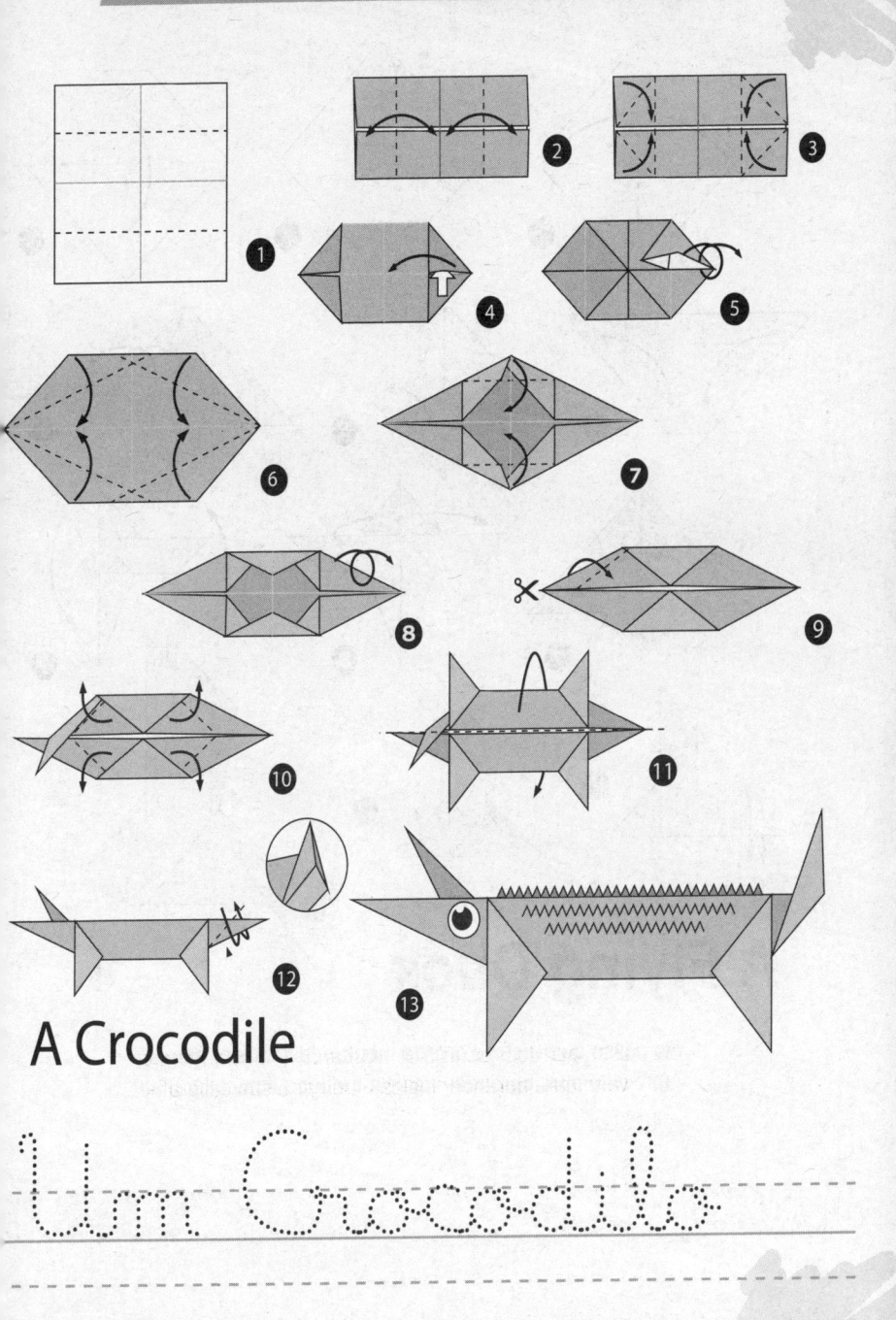

Preste muita atenção na sequência de ilustrações:

A Crocodile

Um Crocodilo

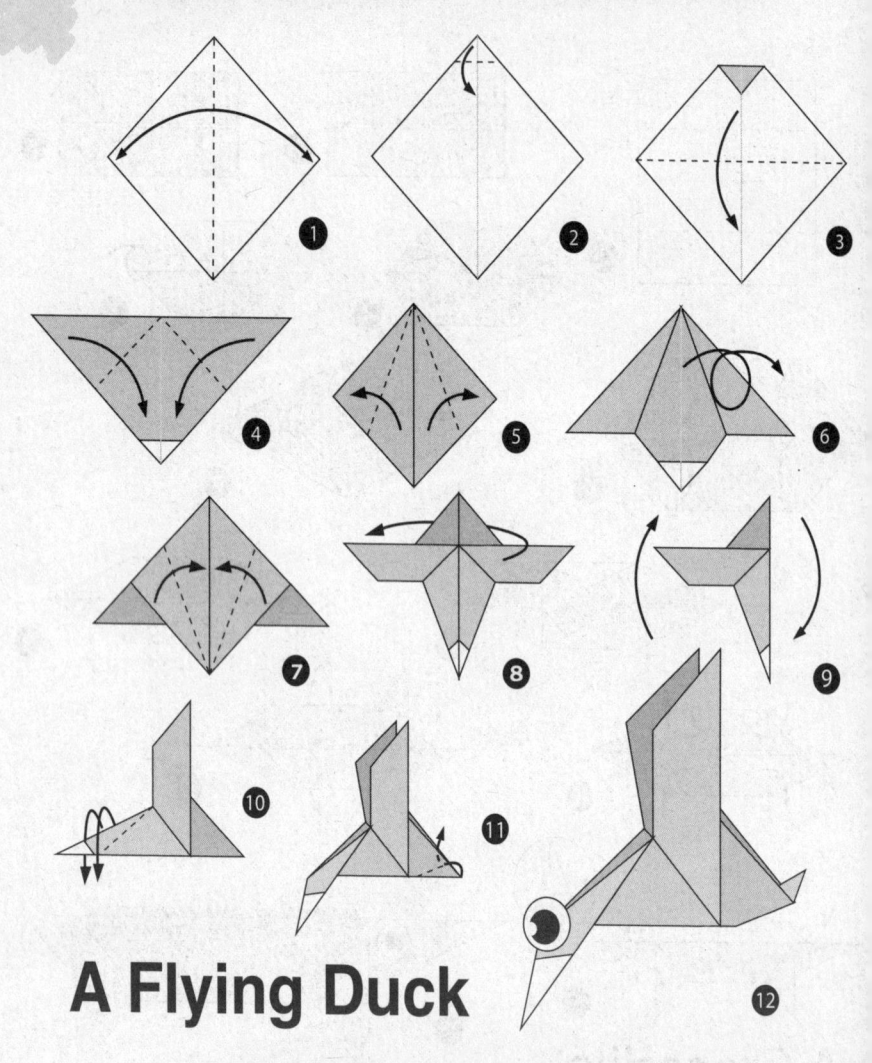

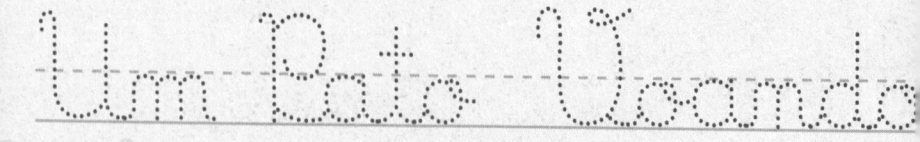

Preste muita atenção na sequência de ilustrações:

A Flying Duck

Ao passo que você se diverte montando lindos origamis, aproveite para aprender inglês e treinar a sua caligrafia!

Um Pato Voando

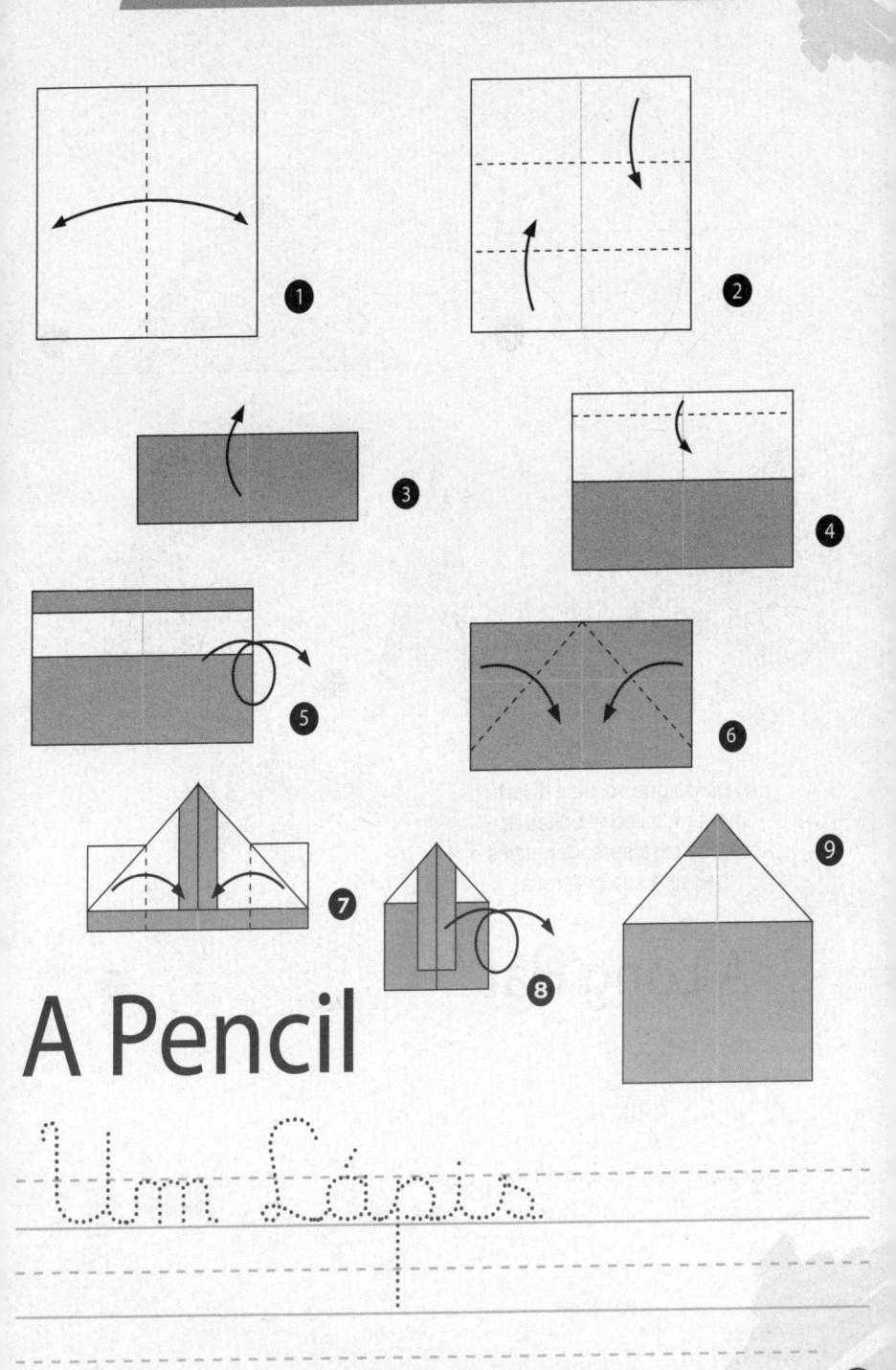

Preste muita atenção na sequência de ilustrações:

A Pencil

Um Lápis

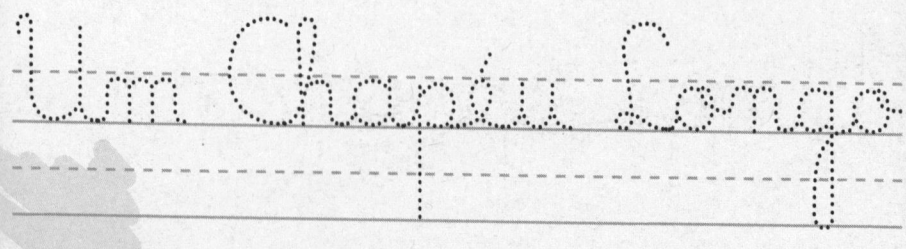

Preste muita atenção na sequência de ilustrações:

Ao passo que você se diverte montando lindos origamis, aproveite para aprender inglês e treinar a sua caligrafia!

A Long Hat

Um Chapéu Longo

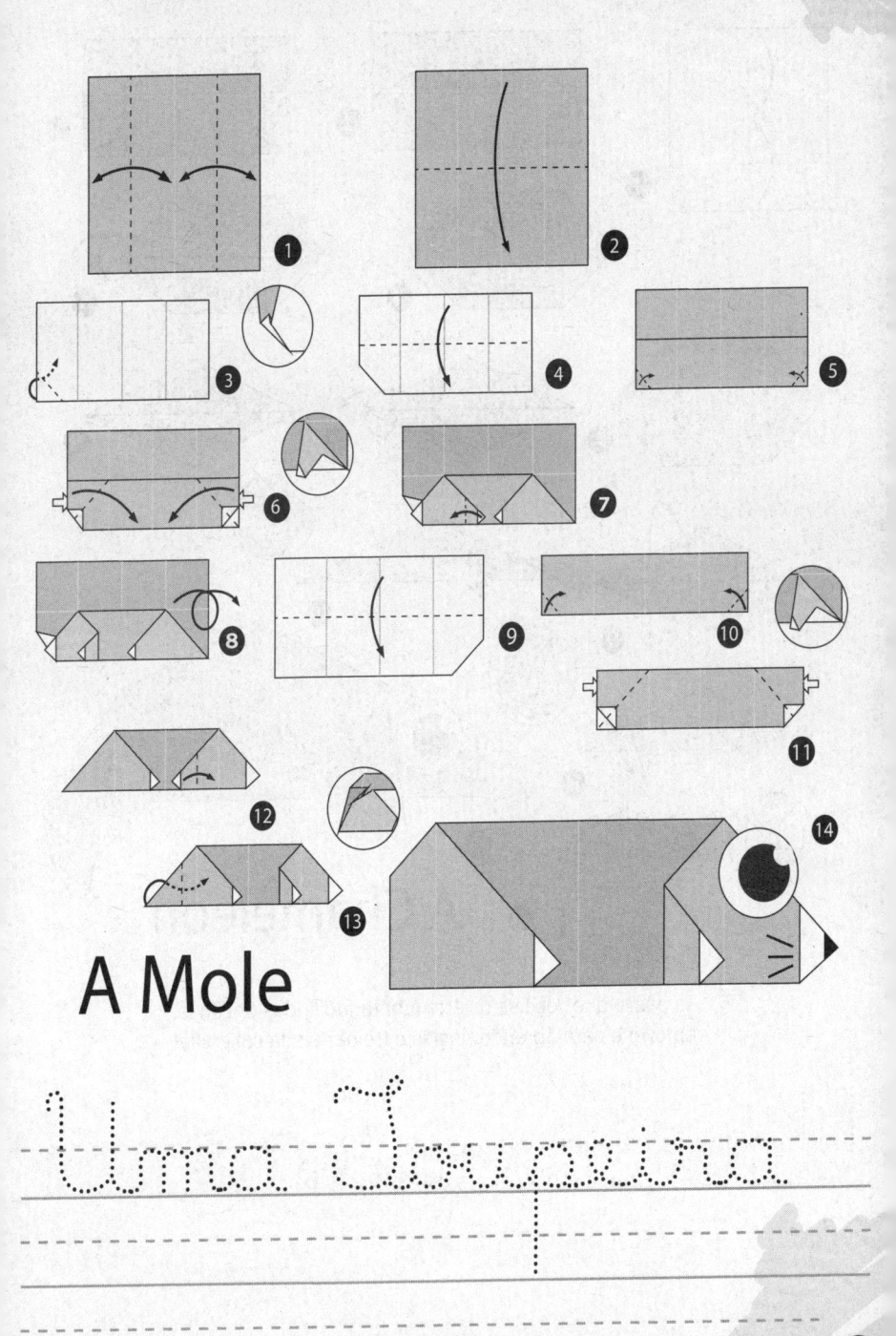

Preste muita atenção na sequência de ilustrações:

A Mole

Uma Toupeira

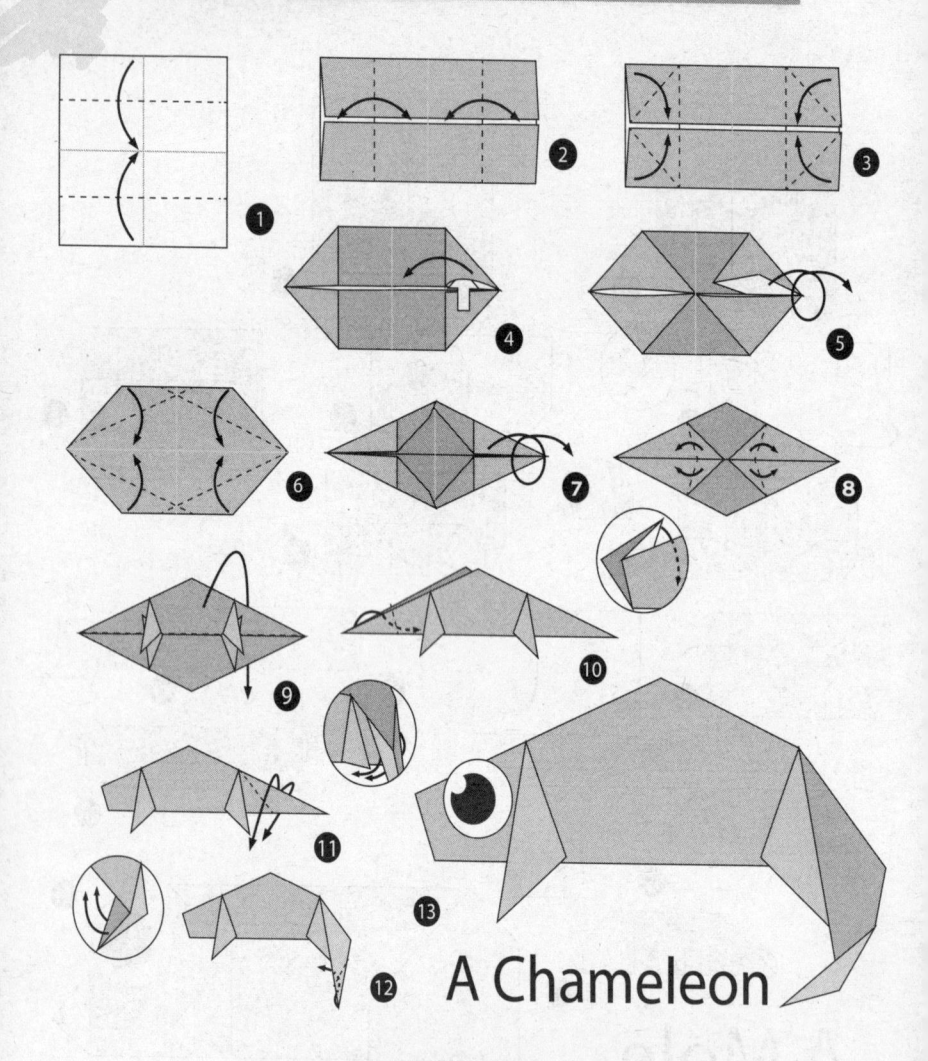

Preste muita atenção na sequência de ilustrações:

A Chameleon

Ao passo que você se diverte montando lindos origamis, aproveite para aprender inglês e treinar a sua caligrafia!

Um Camaleão

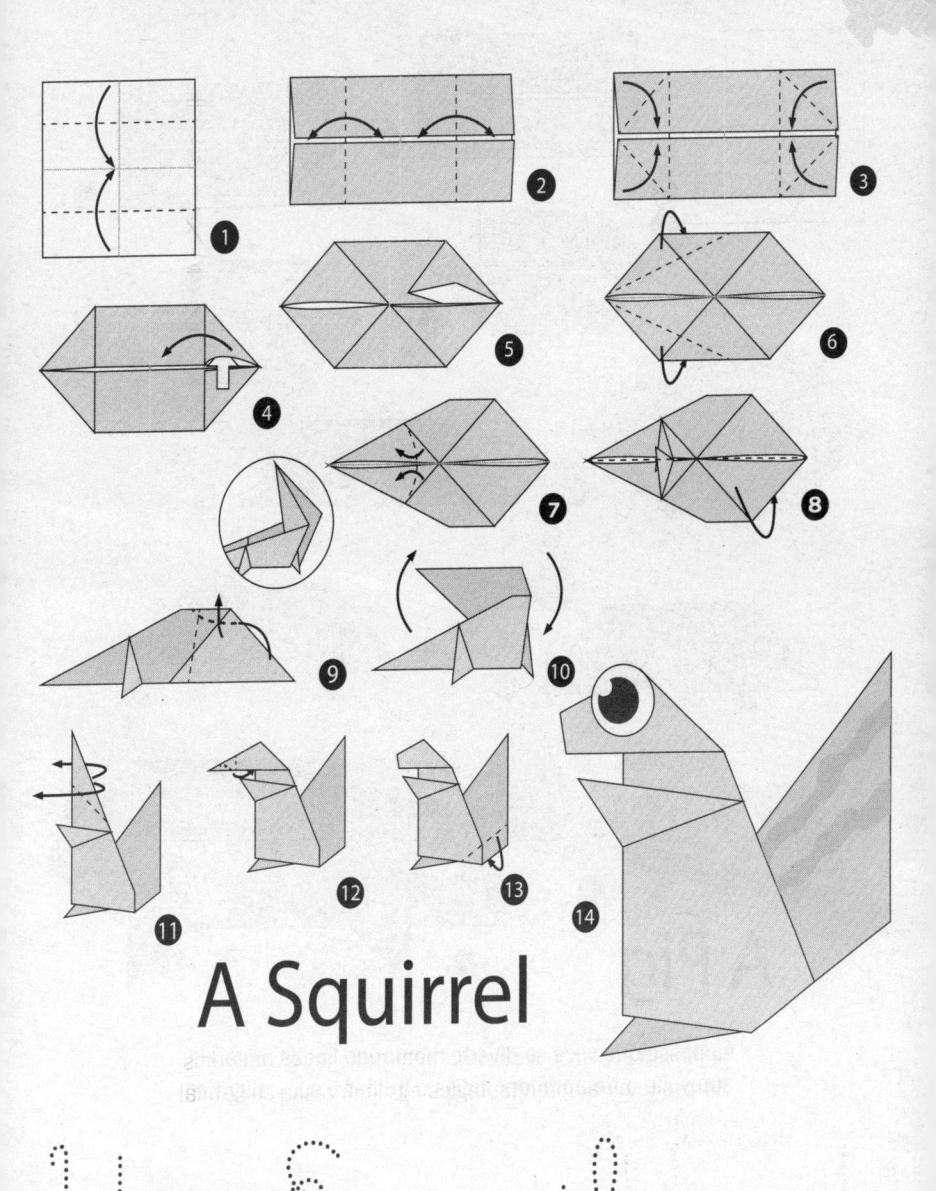

Preste muita atenção na sequência de ilustrações:

A Squirrel

Um Esquilo

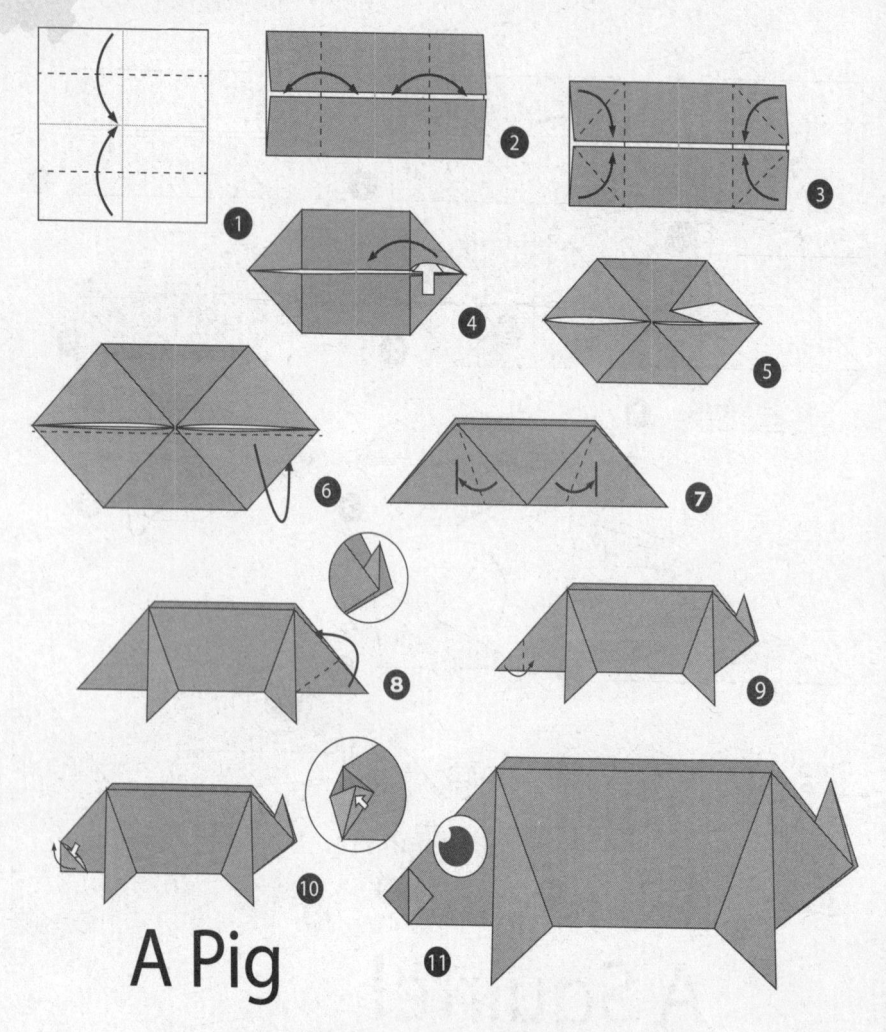

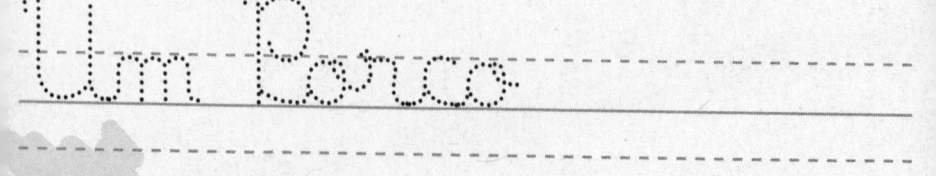

Preste muita atenção na sequência de ilustrações:

A Pig

Ao passo que você se diverte montando lindos origamis, aproveite para aprender inglês e treinar a sua caligrafia!

Um Porco

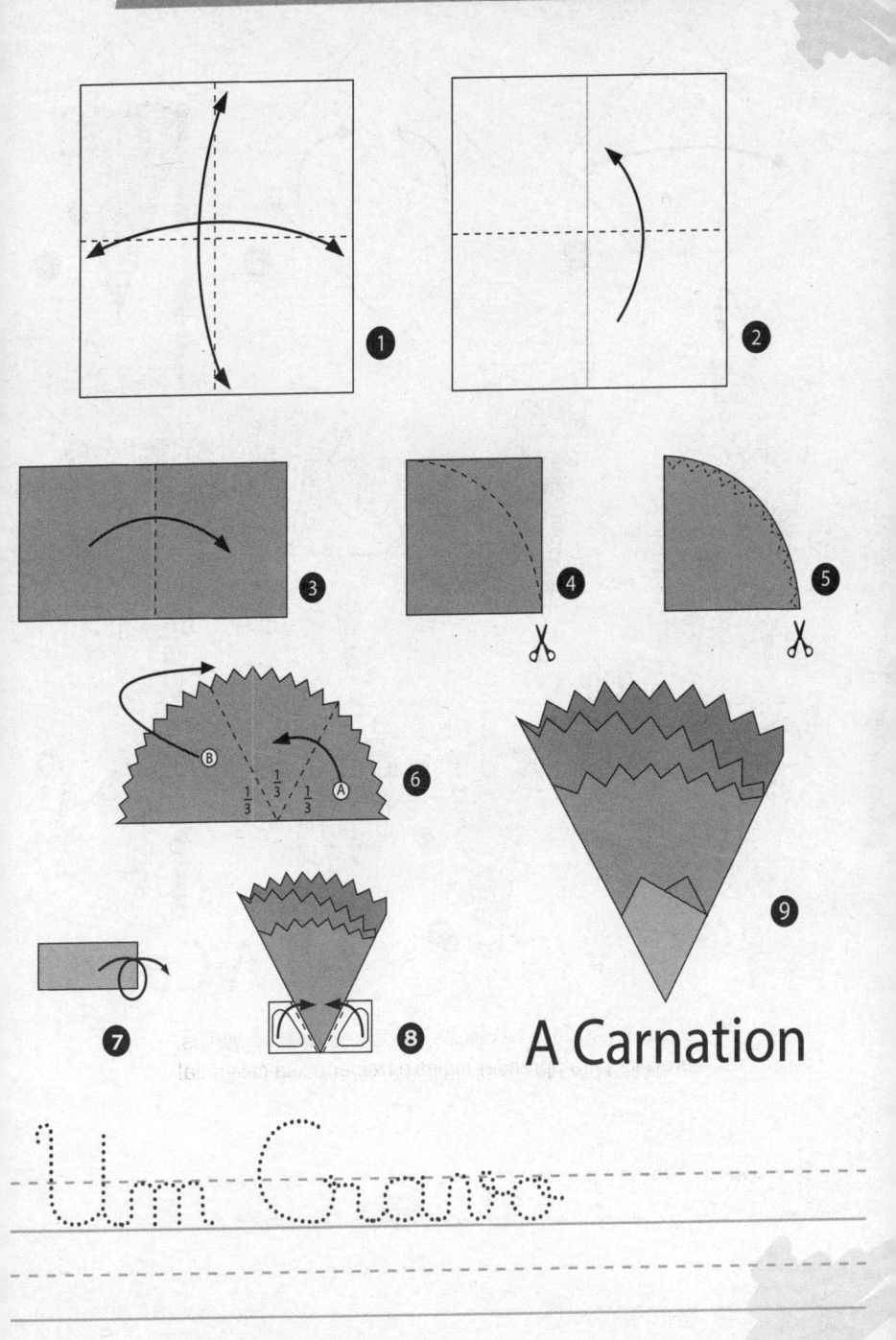

Preste muita atenção na sequência de ilustrações:

A Carnation

Um Cravo

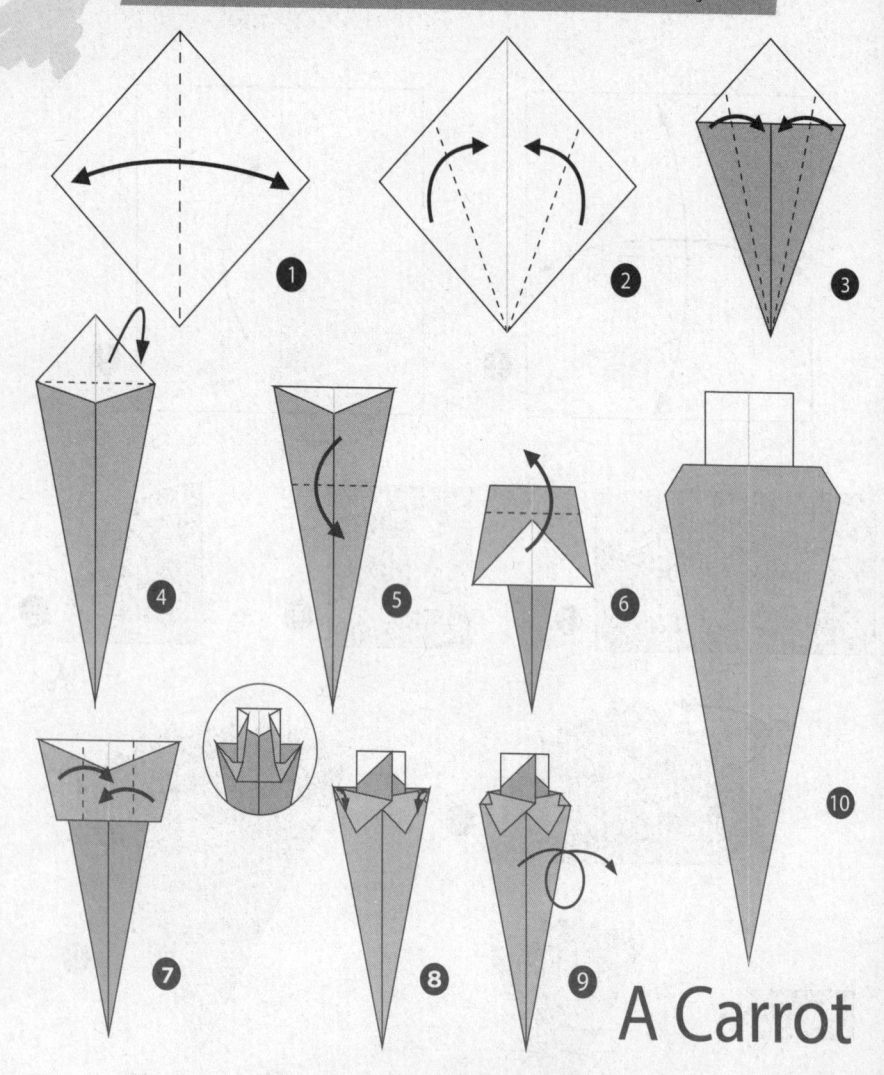

Preste muita atenção na sequência de ilustrações:

A Carrot

Ao passo que você se diverte montando lindos origamis, aproveite para aprender inglês e treinar a sua caligrafia!

Uma Cenoura

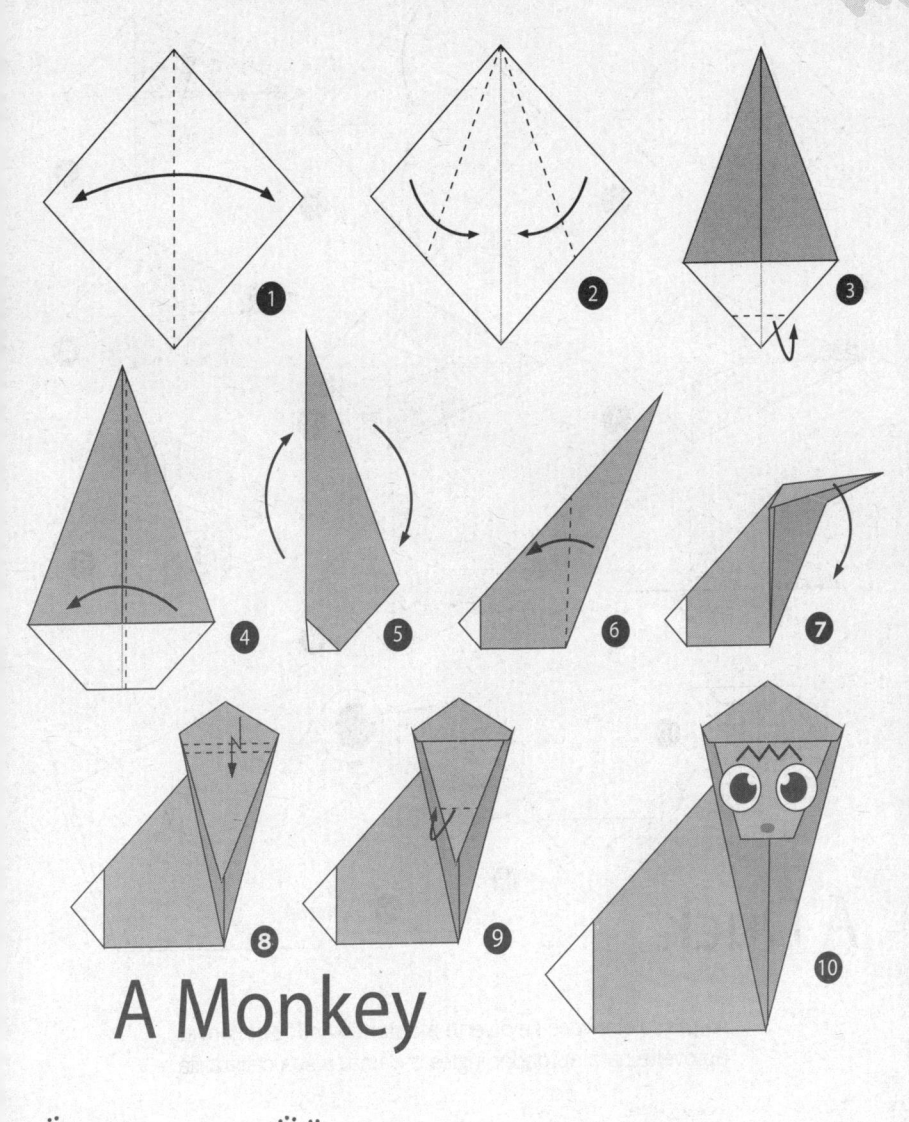

Preste muita atenção na sequência de ilustrações:

A Monkey

Um Macaco

Preste muita atenção na sequência de ilustrações:

A Duck

Ao passo que você se diverte montando lindos origamis, aproveite para aprender inglês e treinar a sua caligrafia!

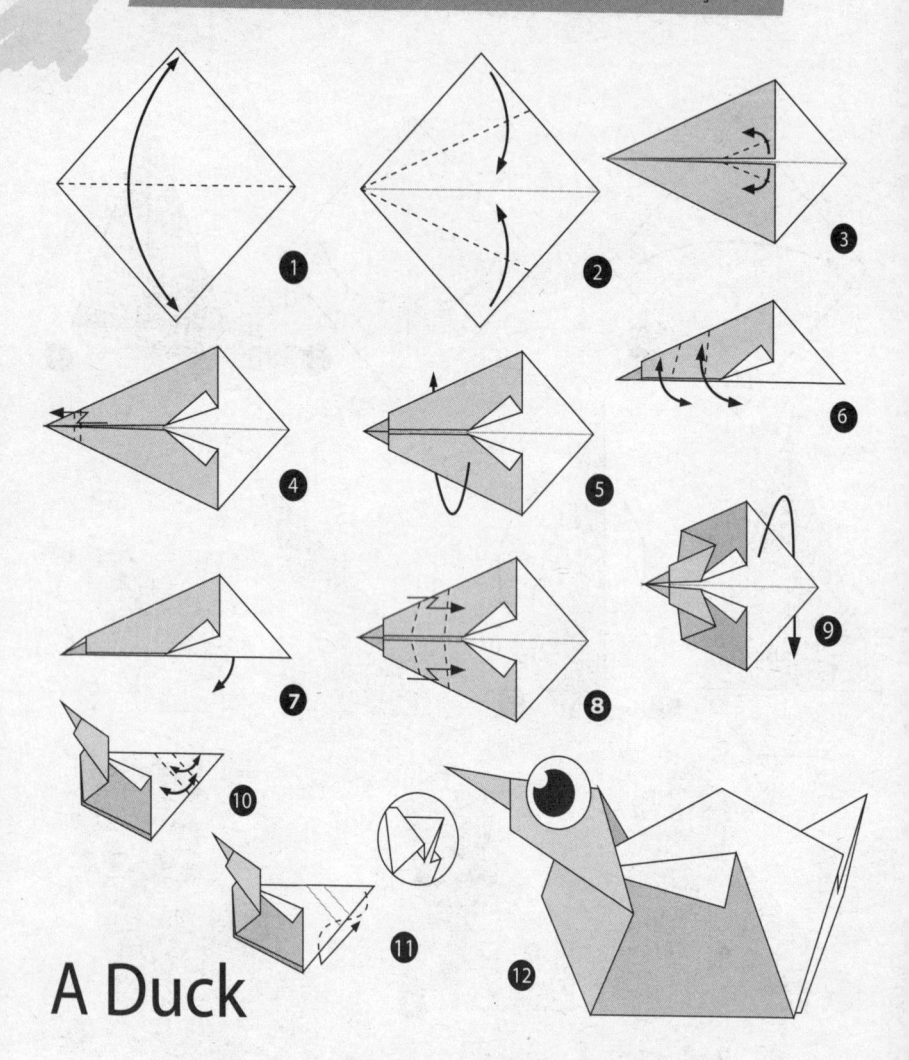

Um Pato

Preste muita atenção na sequência de ilustrações:

A Gray Cat

Um Gato Cinza

Preste muita atenção na sequência de ilustrações:

A Platypus

Um Ornitorrinco

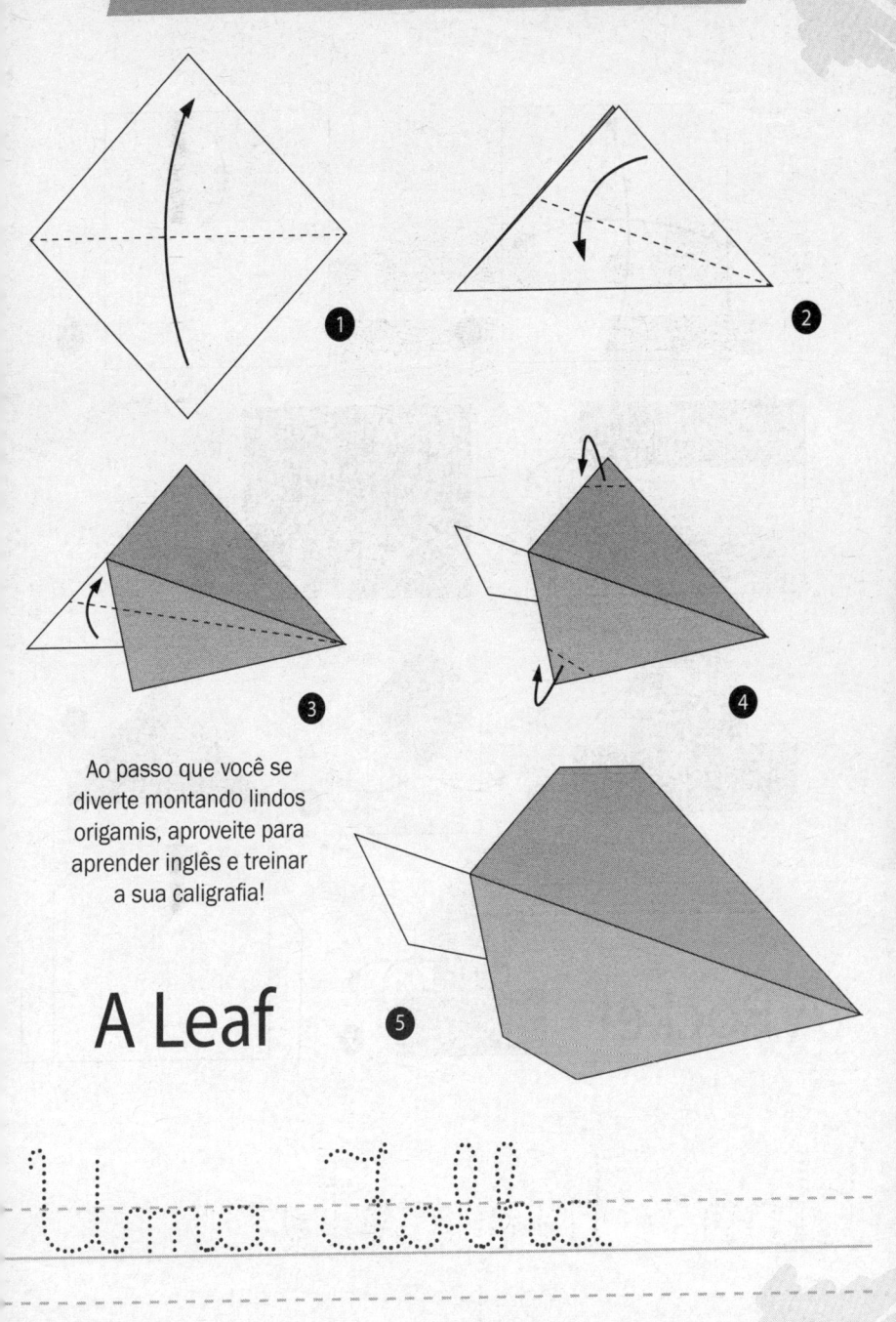

Preste muita atenção na sequência de ilustrações:

Ao passo que você se diverte montando lindos origamis, aproveite para aprender inglês e treinar a sua caligrafia!

A Leaf

Uma Folha

Preste muita atenção na sequência de ilustrações:

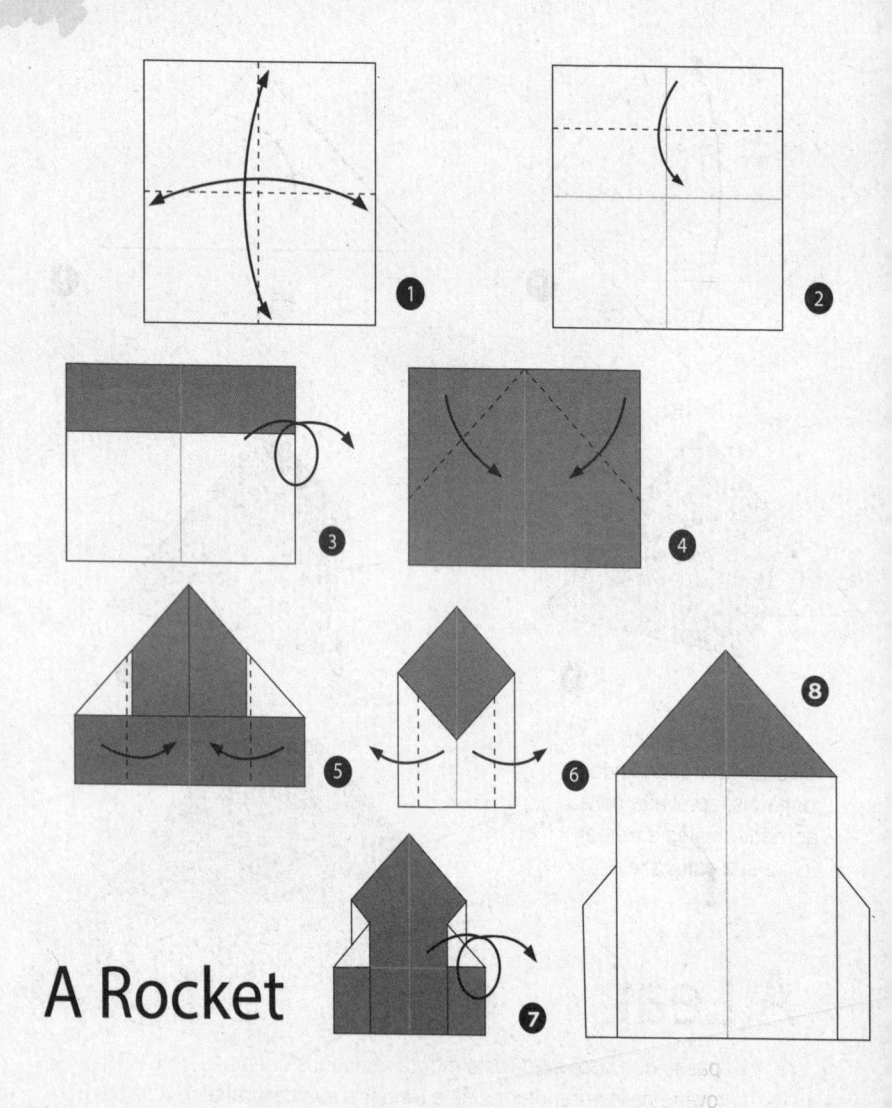

A Rocket

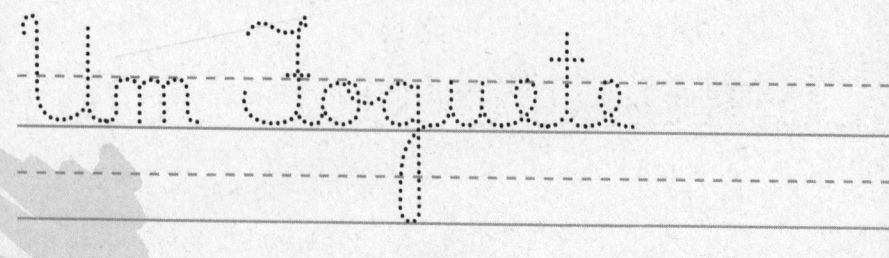

Um Foguete

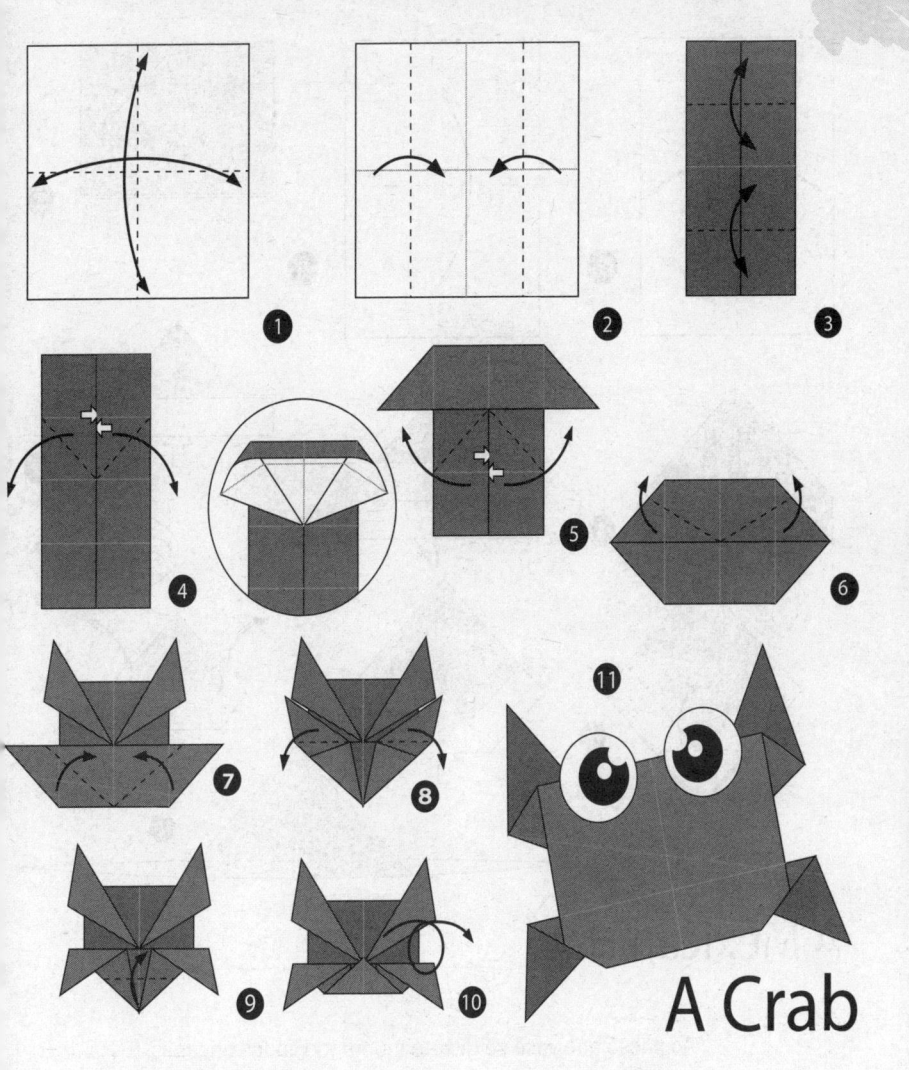

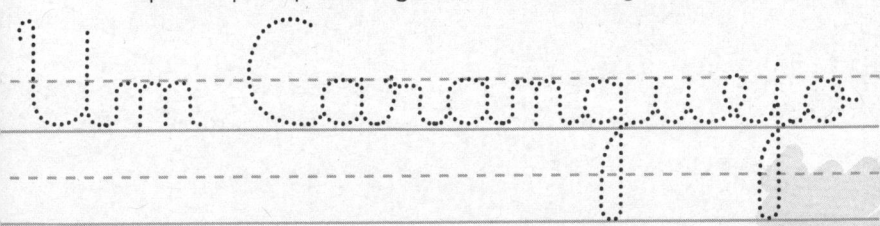

Preste muita atenção na sequência de ilustrações:

A Crab

Ao passo que você se diverte montando lindos origamis, aproveite para aprender inglês e treinar a sua caligrafia!

Um Caranguejo

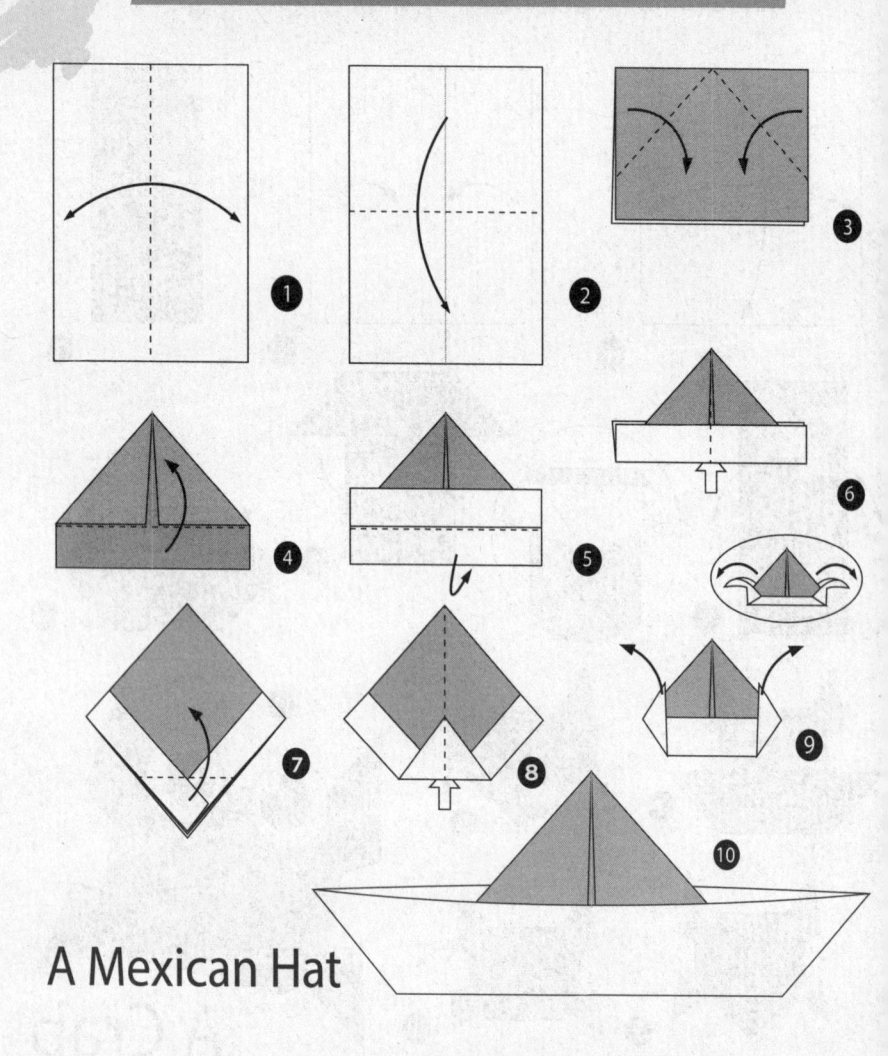

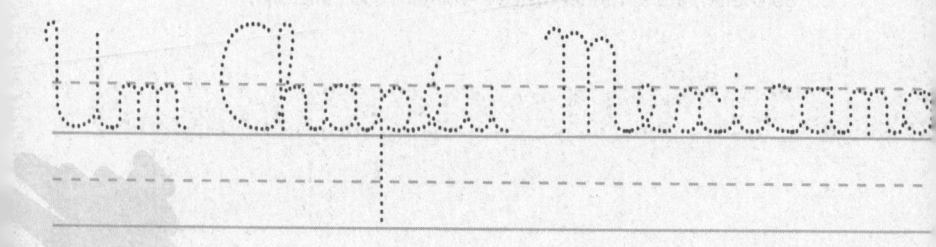

Preste muita atenção na sequência de ilustrações:

A Mexican Hat

Ao passo que você se diverte montando lindos origamis, aproveite para aprender inglês e treinar a sua caligrafia!

Um Chapéu Mexicano

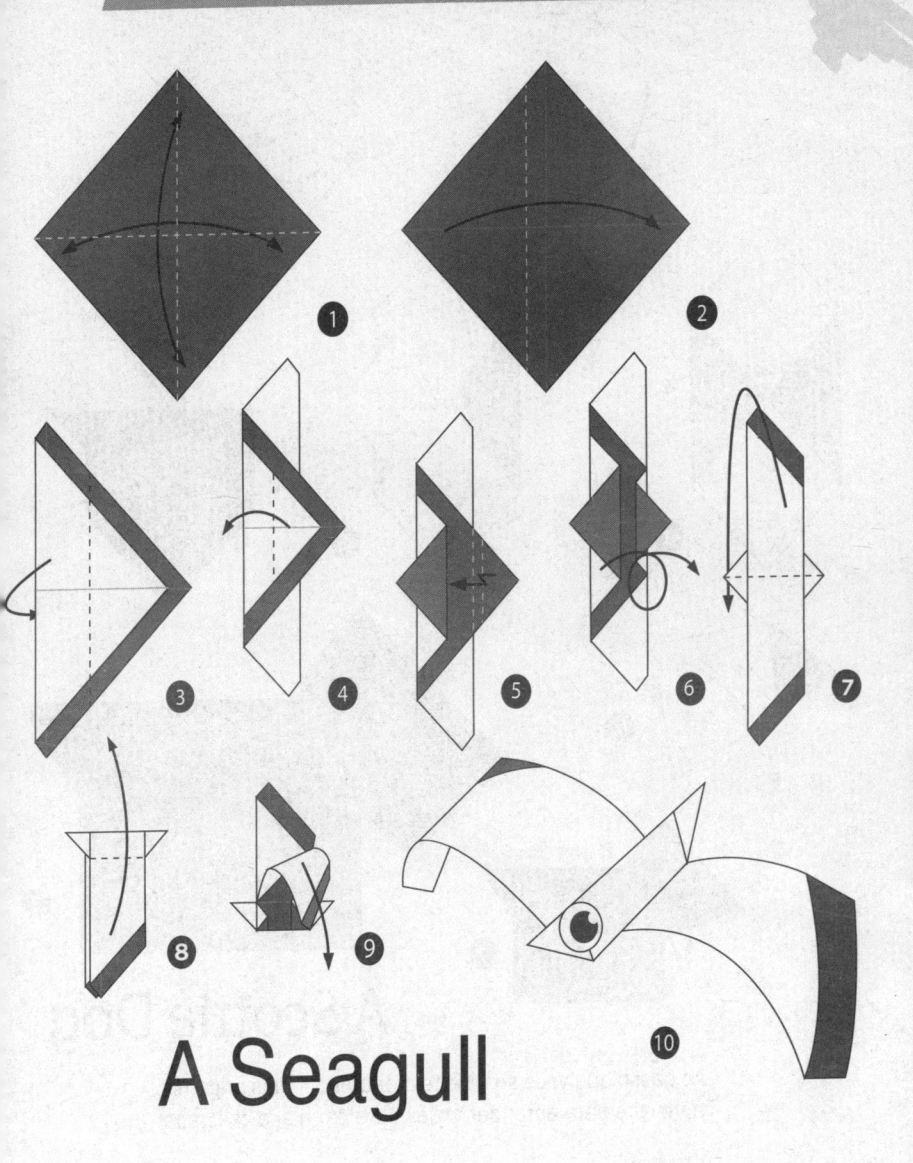

Preste muita atenção na sequência de ilustrações:

A Seagull

Uma Gaivota

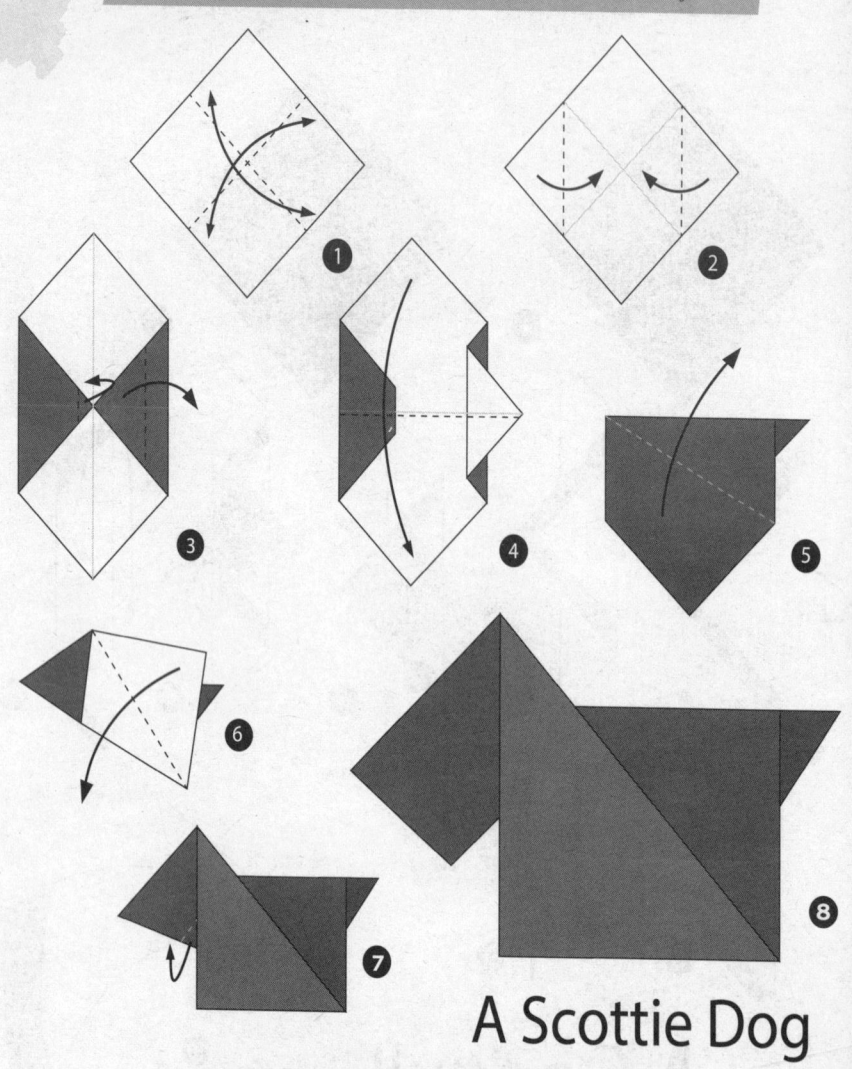

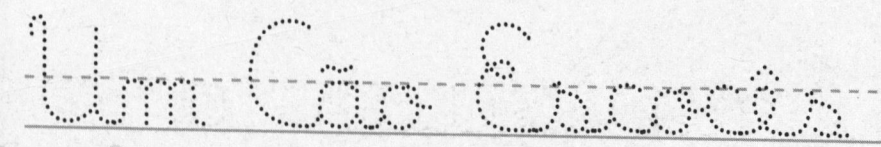

Preste muita atenção na sequência de ilustrações:

A Scottie Dog

Ao passo que você se diverte montando lindos origamis, aproveite para aprender inglês e treinar a sua caligrafia!

Um Cão Escocês

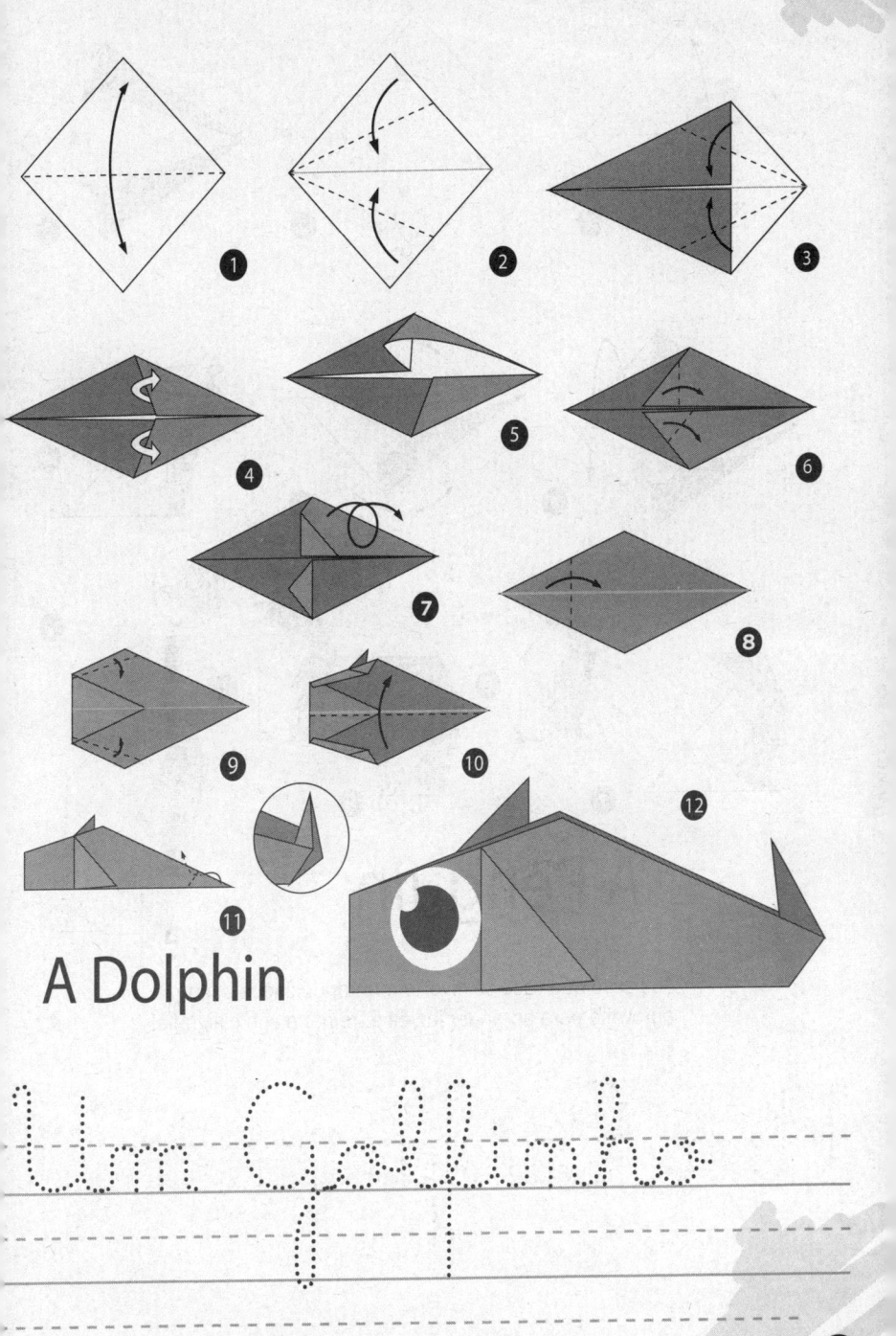

Preste muita atenção na sequência de ilustrações:

A Dolphin

Um Golfinho

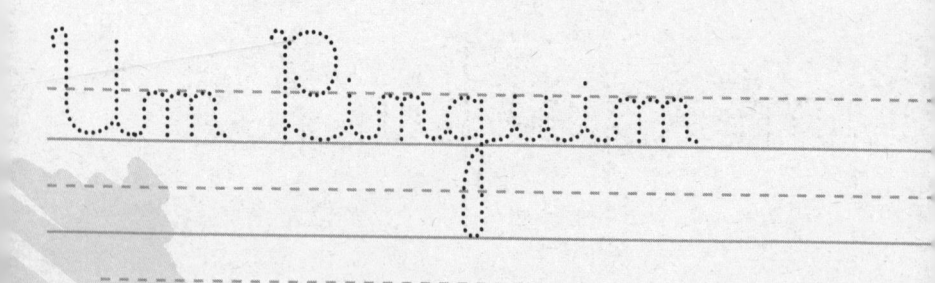

Preste muita atenção na sequência de ilustrações:

A Penguin

Ao passo que você se diverte montando lindos origamis, aproveite para aprender inglês e treinar a sua caligrafia!

Um Pinguim

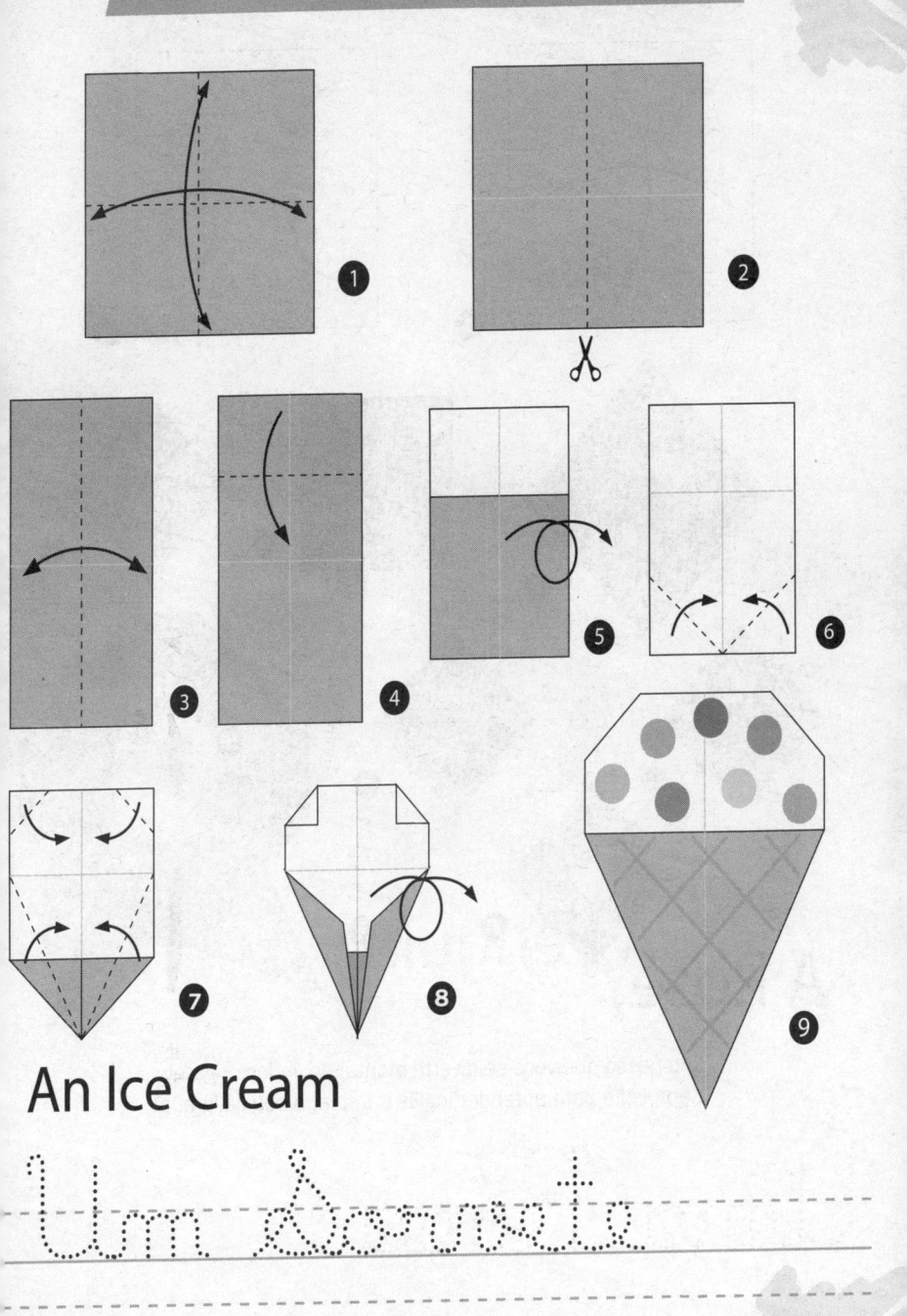

Preste muita atenção na sequência de ilustrações:

An Ice Cream

Um Sorvete

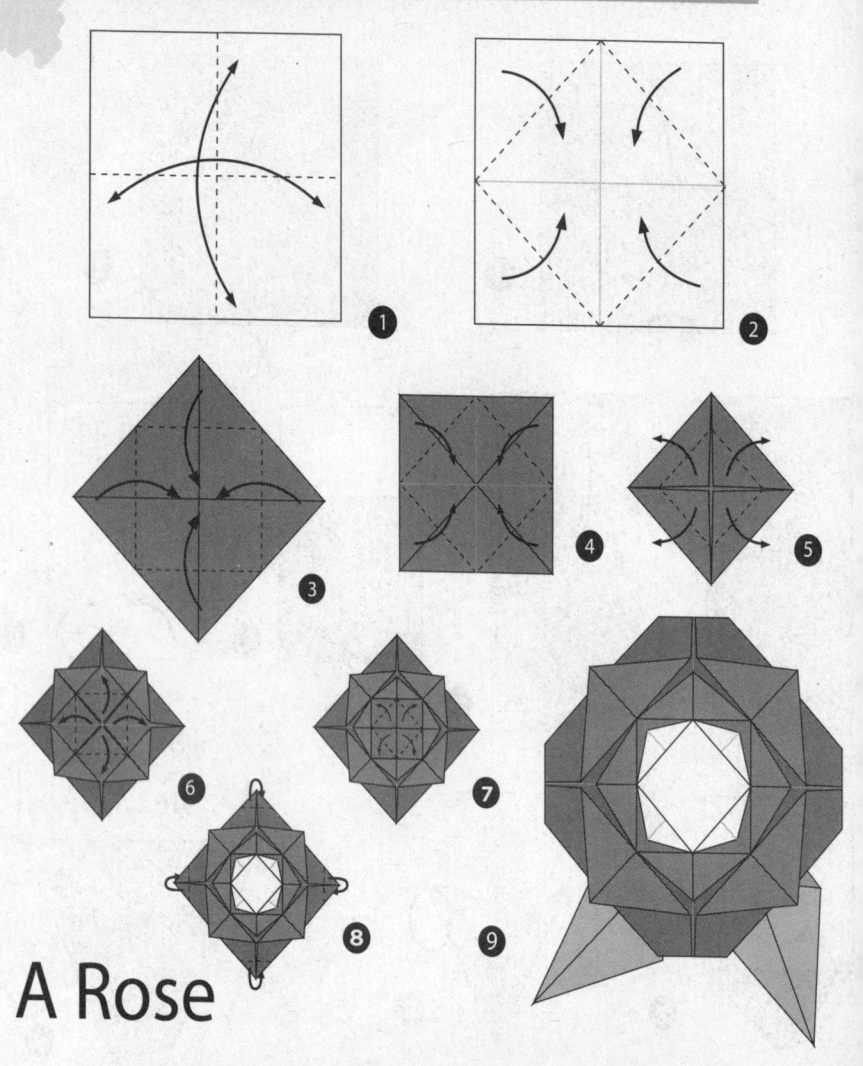

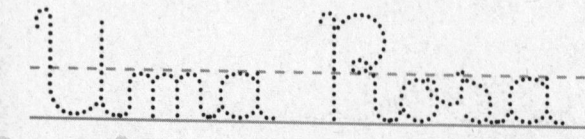

Preste muita atenção na sequência de ilustrações:

A Rose

Ao passo que você se diverte montando lindos origamis, aproveite para aprender inglês e treinar a sua caligrafia!

Uma Rosa

Preste muita atenção na sequência de ilustrações:

A Shark

Um Tubarão

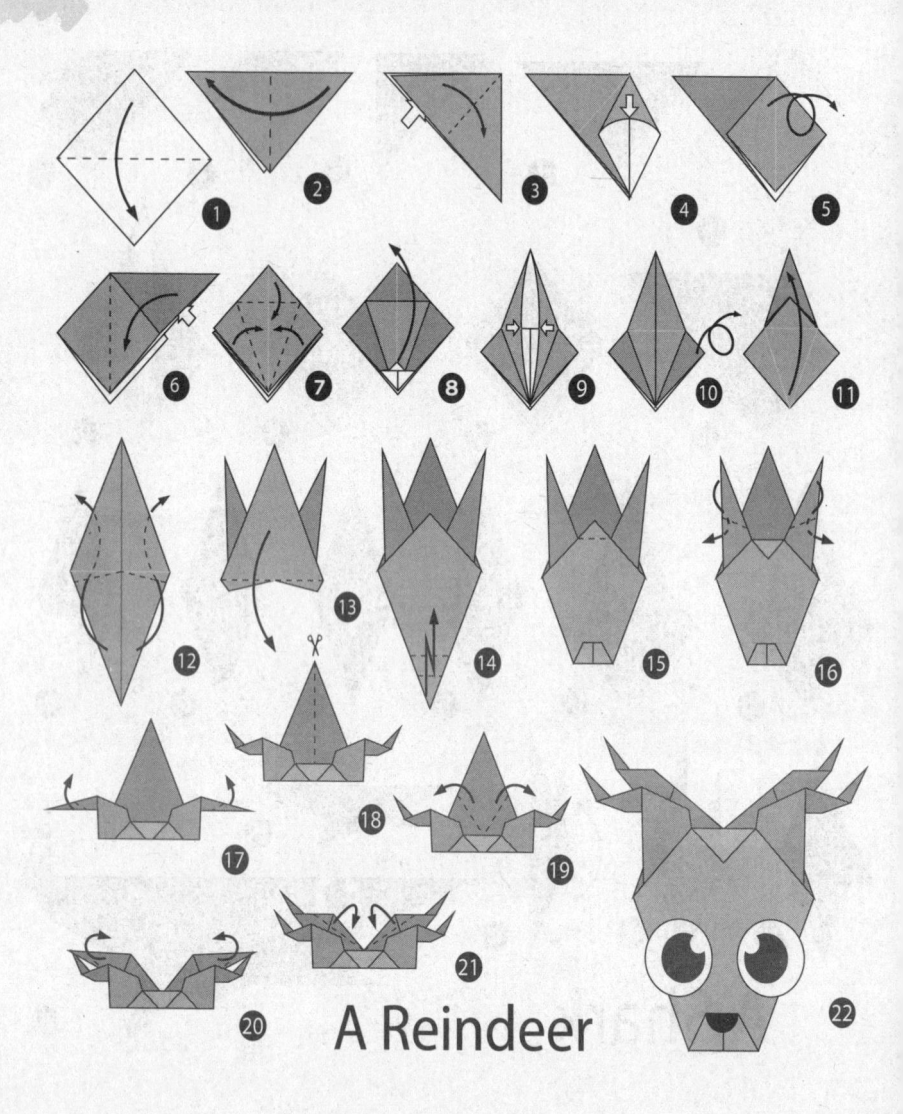

Preste muita atenção na sequência de ilustrações:

A Reindeer

Uma Rena

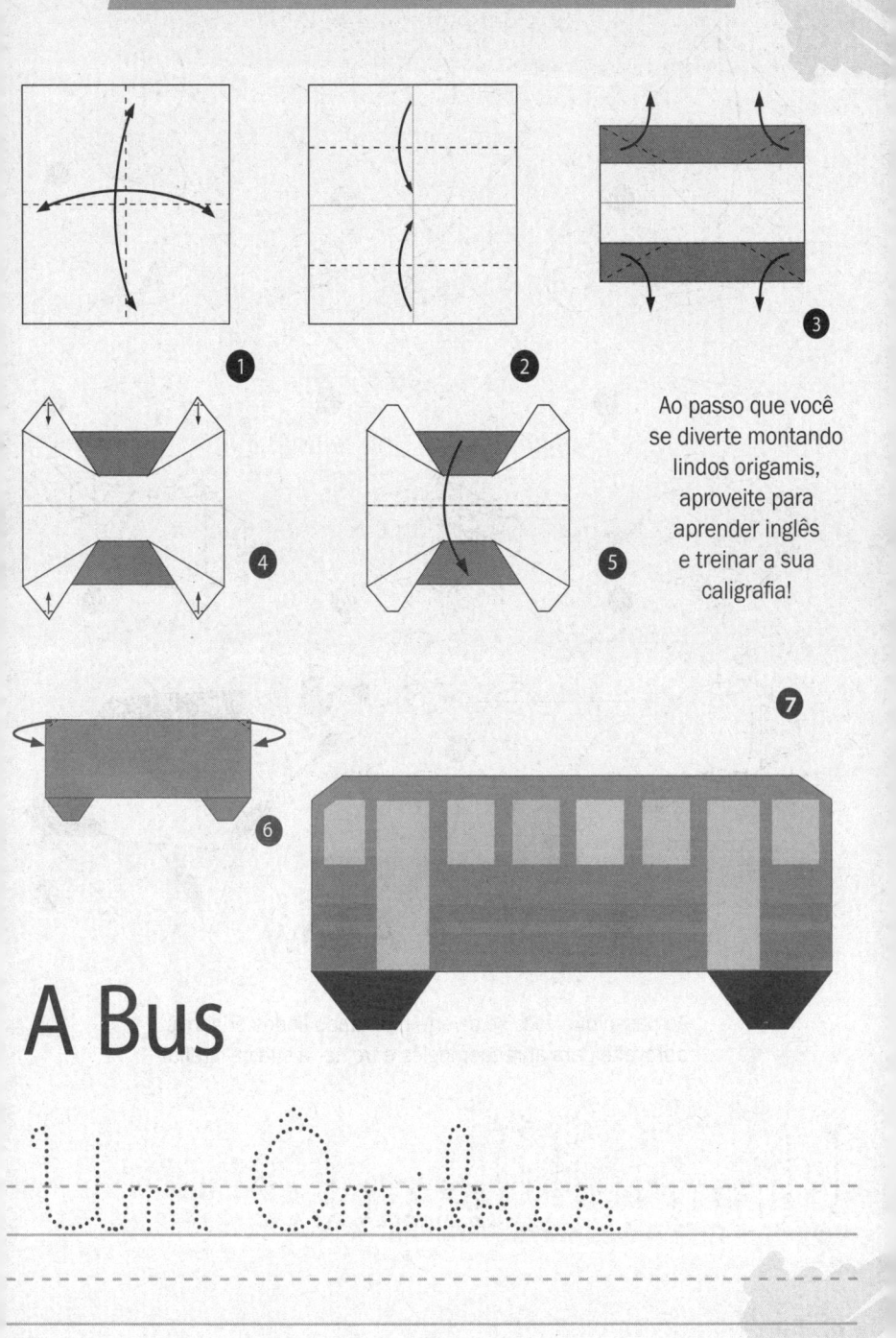

Preste muita atenção na sequência de ilustrações:

Ao passo que você se diverte montando lindos origamis, aproveite para aprender inglês e treinar a sua caligrafia!

A Bus

Um Ônibus

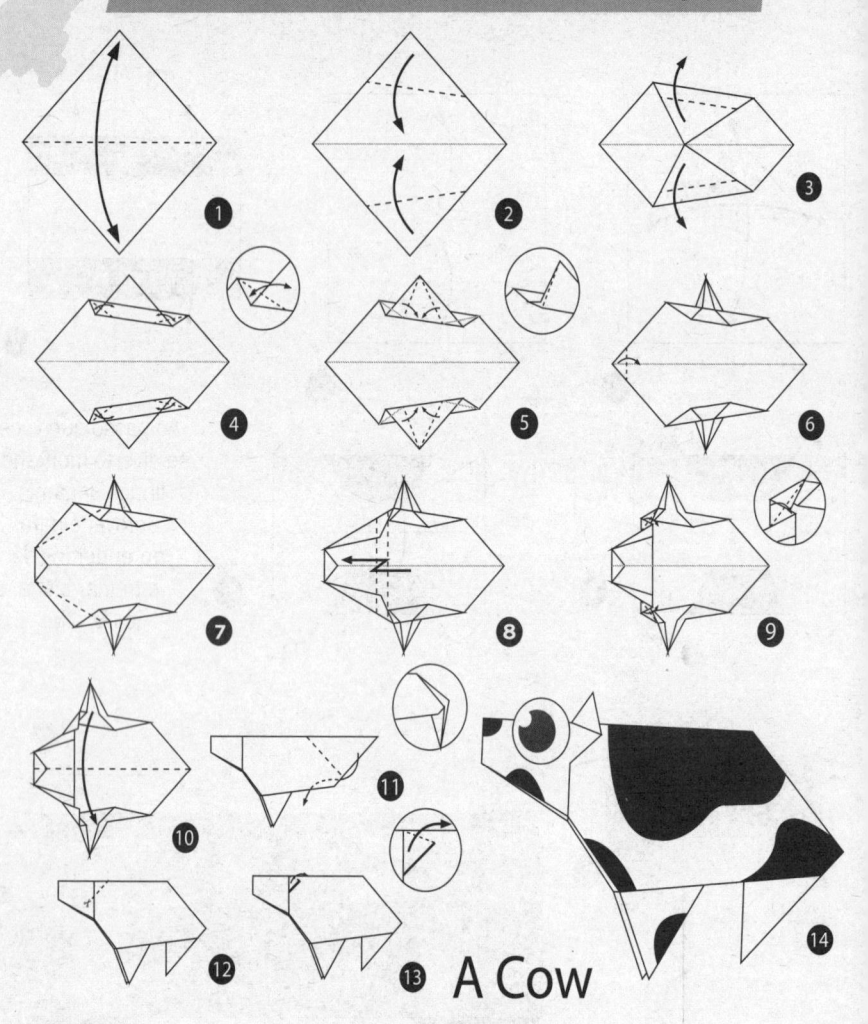

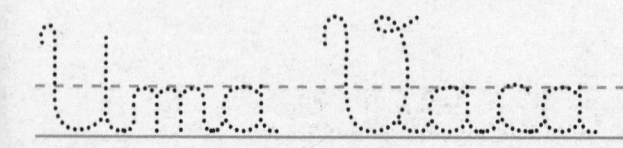

Preste muita atenção na sequência de ilustrações:

A Cow

Ao passo que você se diverte montando lindos origamis, aproveite para aprender inglês e treinar a sua caligrafia!

Uma Vaca

Preste muita atenção na sequência de ilustrações:

A Parrot

Um Papagaio

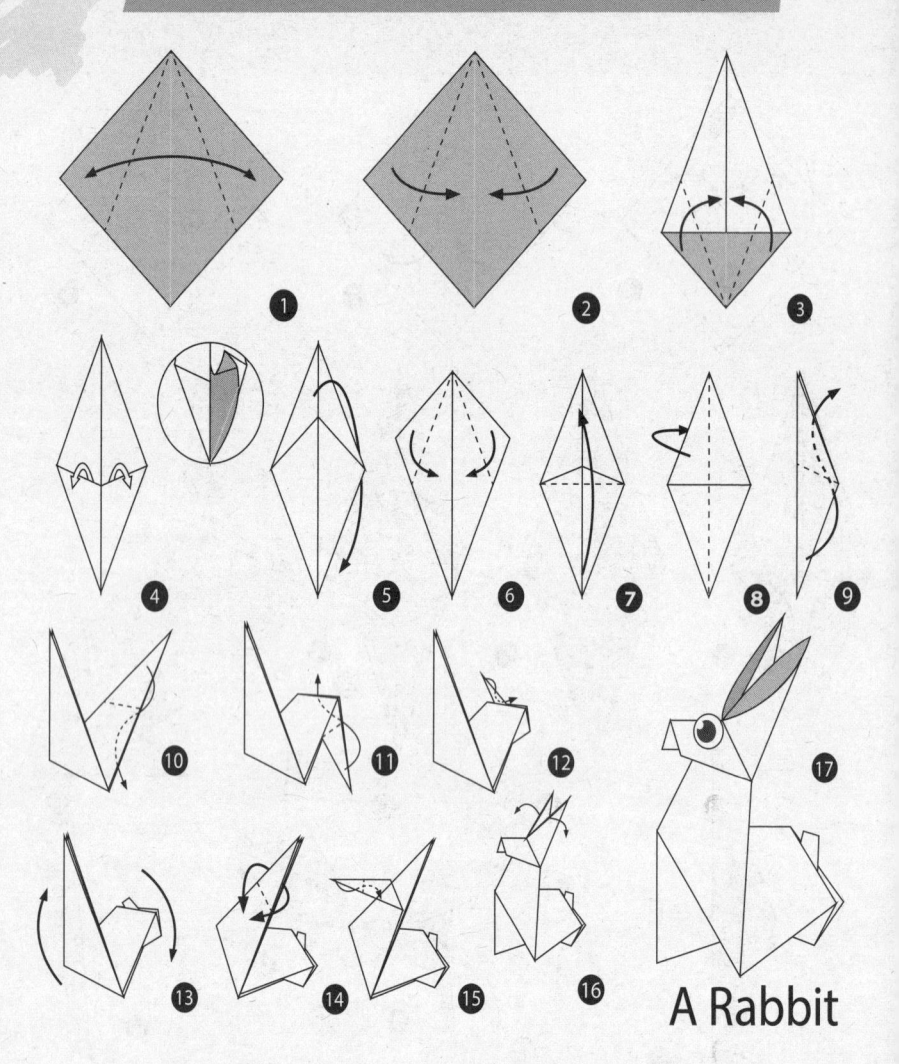

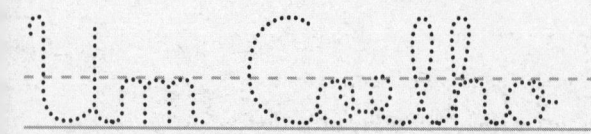

Preste muita atenção na sequência de ilustrações:

A Rabbit

Ao passo que você se diverte montando lindos origamis, aproveite para aprender inglês e treinar a sua caligrafia!

Um Coelho

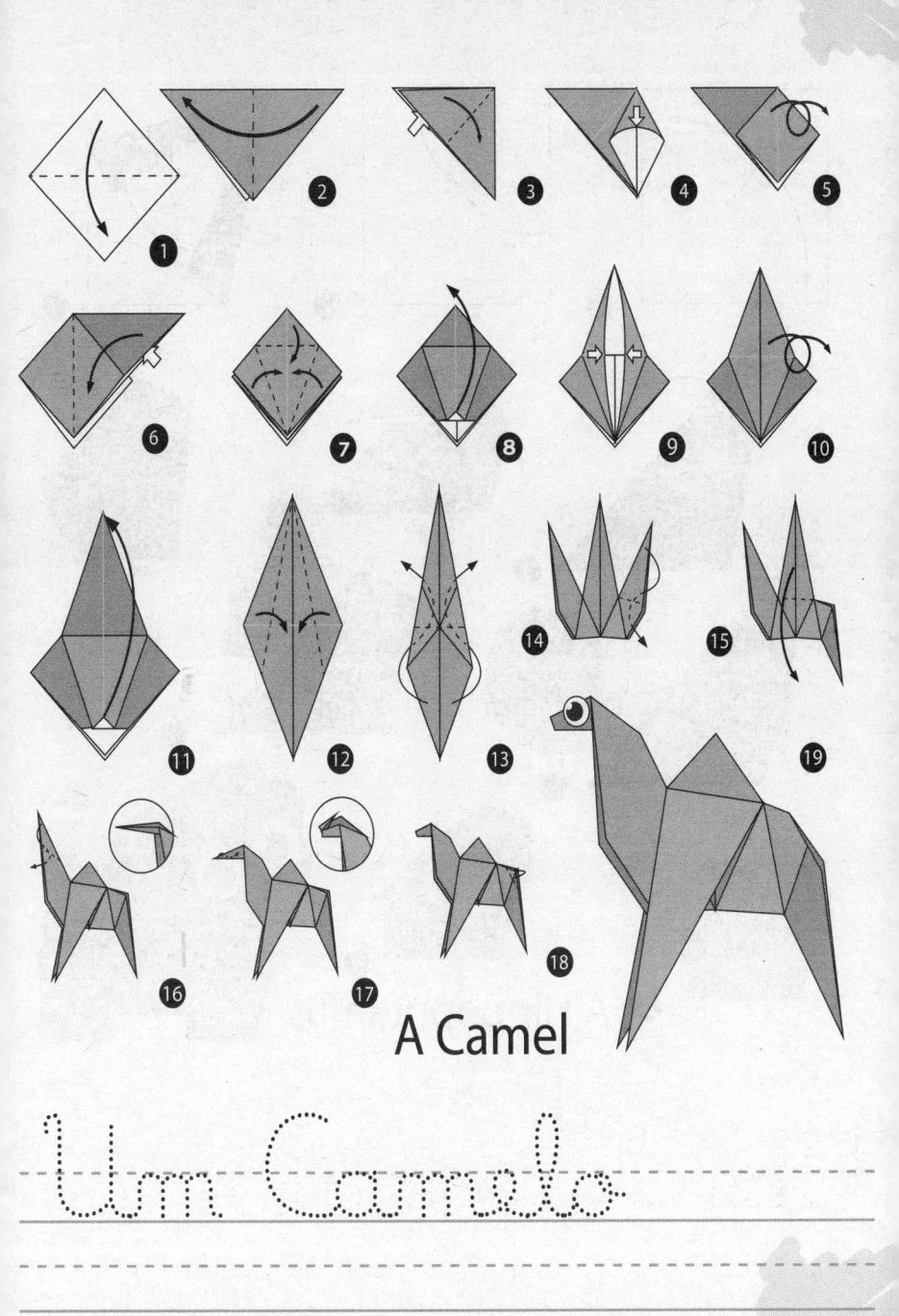

Preste muita atenção na sequência de ilustrações:

A Camel

Um Camelo

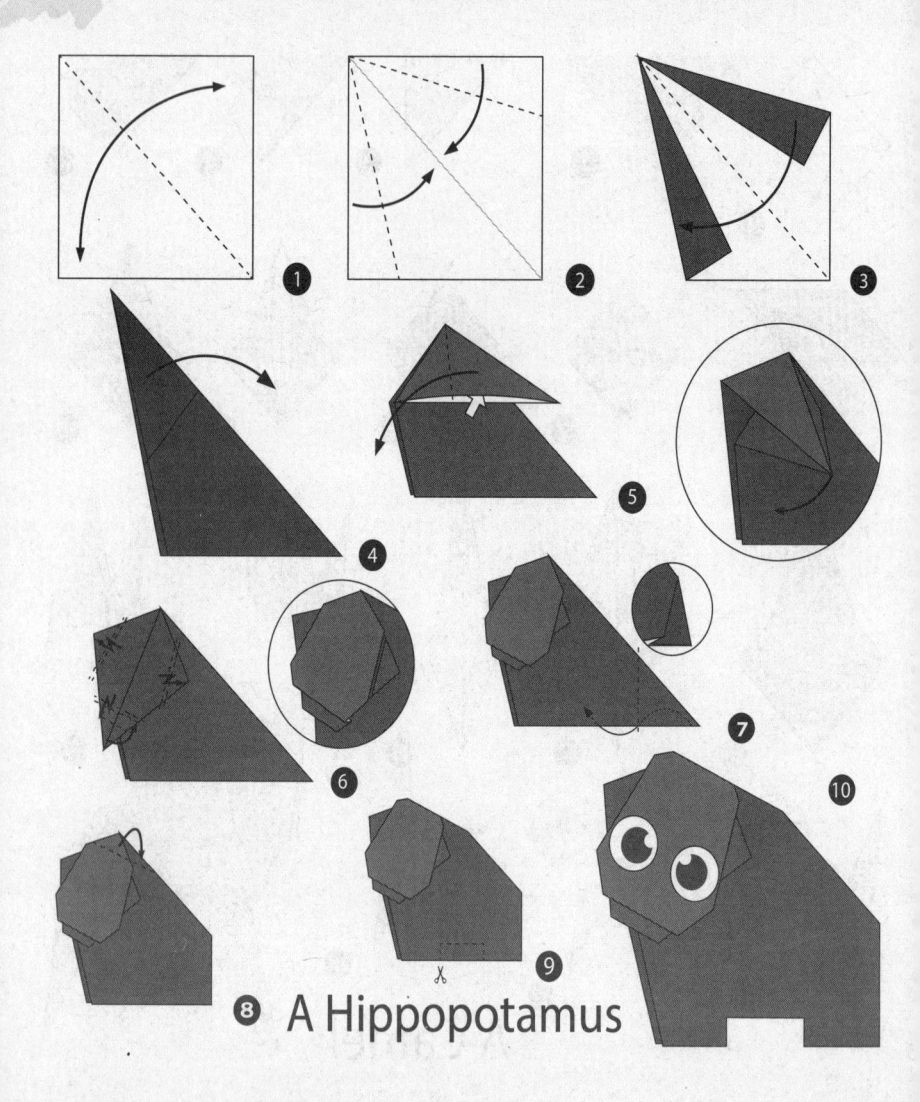

Preste muita atenção na sequência de ilustrações:

A Hippopotamus

Um Hippopótamo

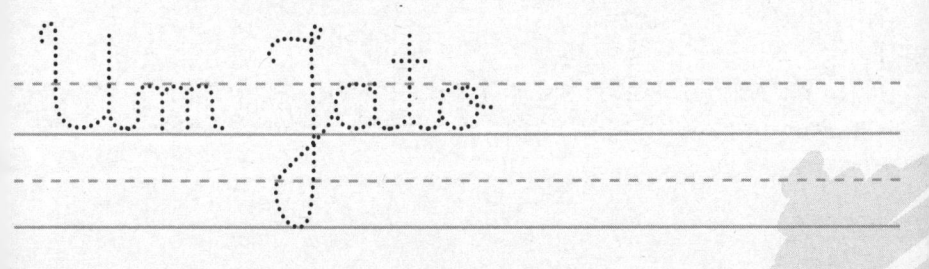

Preste muita atenção na sequência de ilustrações:

A Jet

Ao passo que você se diverte montando lindos origamis, aproveite para aprender inglês e treinar a sua caligrafia!

Um Jato

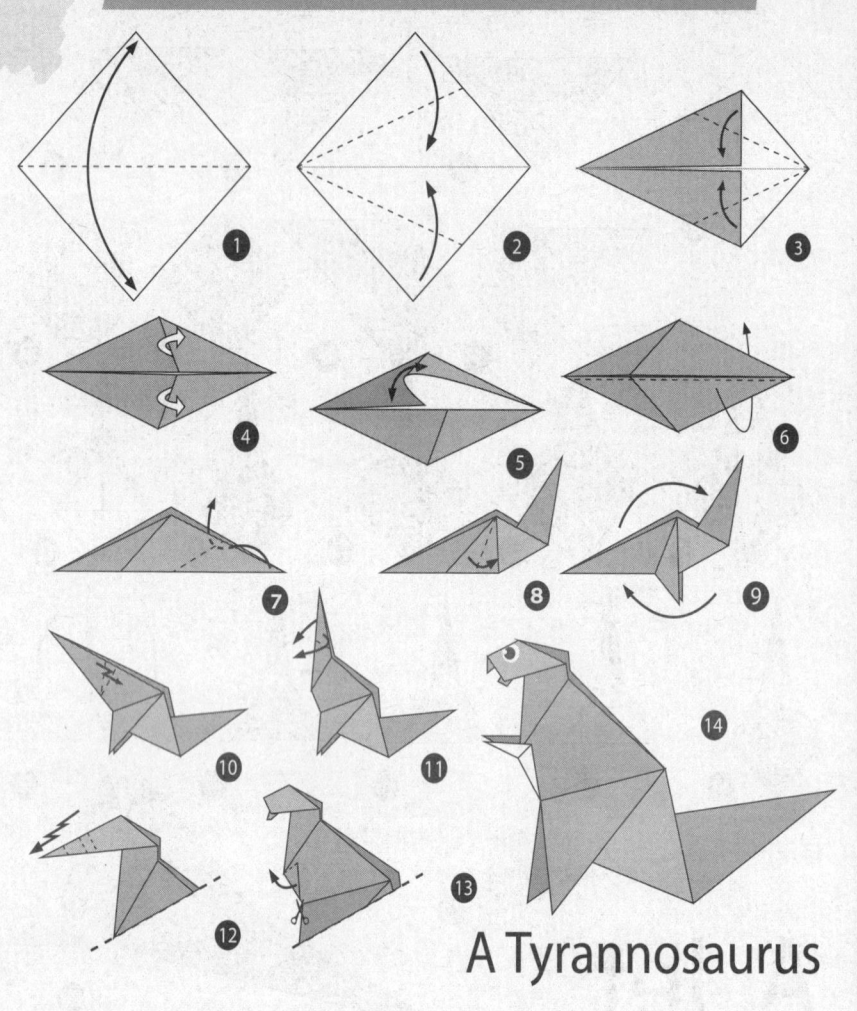

Preste muita atenção na sequência de ilustrações:

A Tyrannosaurus

Ao passo que você se diverte montando lindos origamis, aproveite para aprender inglês e treinar a sua caligrafia!

Um Tiranossauro

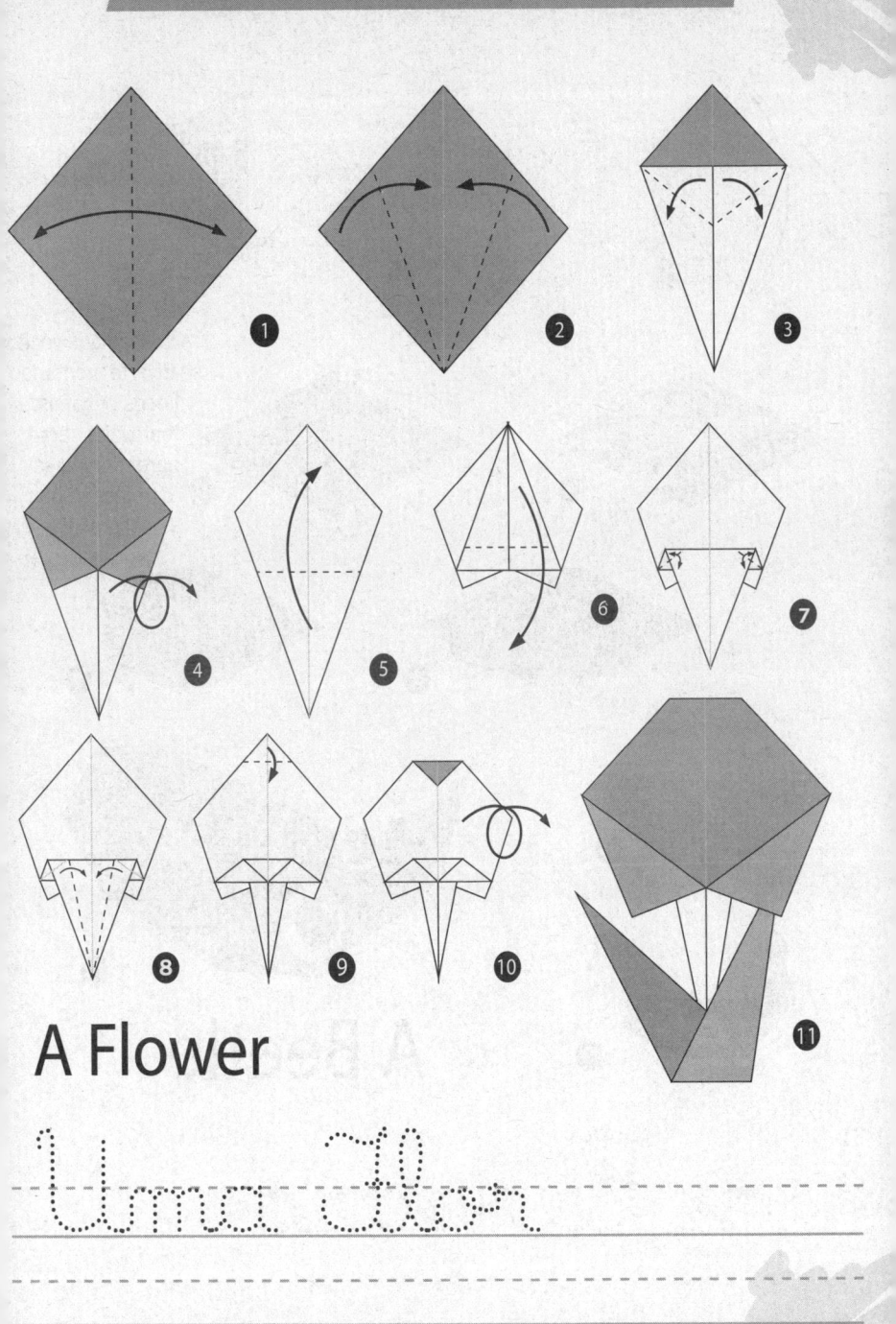

Preste muita atenção na sequência de ilustrações:

A Flower

Uma Flor

Preste muita atenção na sequência de ilustrações:

Ao passo que você se diverte montando lindos origamis, aproveite para aprender inglês e treinar a sua caligrafia!

A Beetle

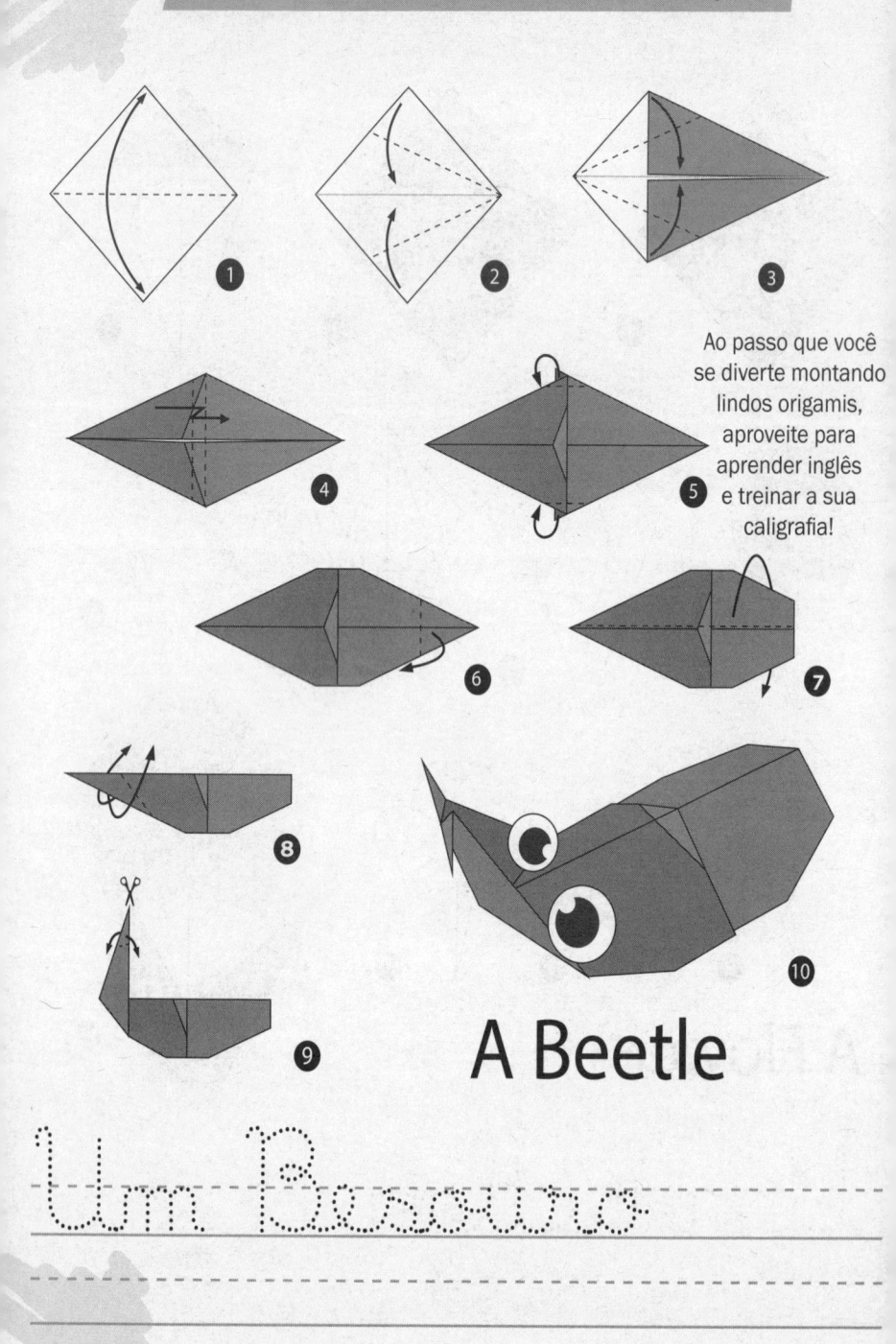

Um Besouro

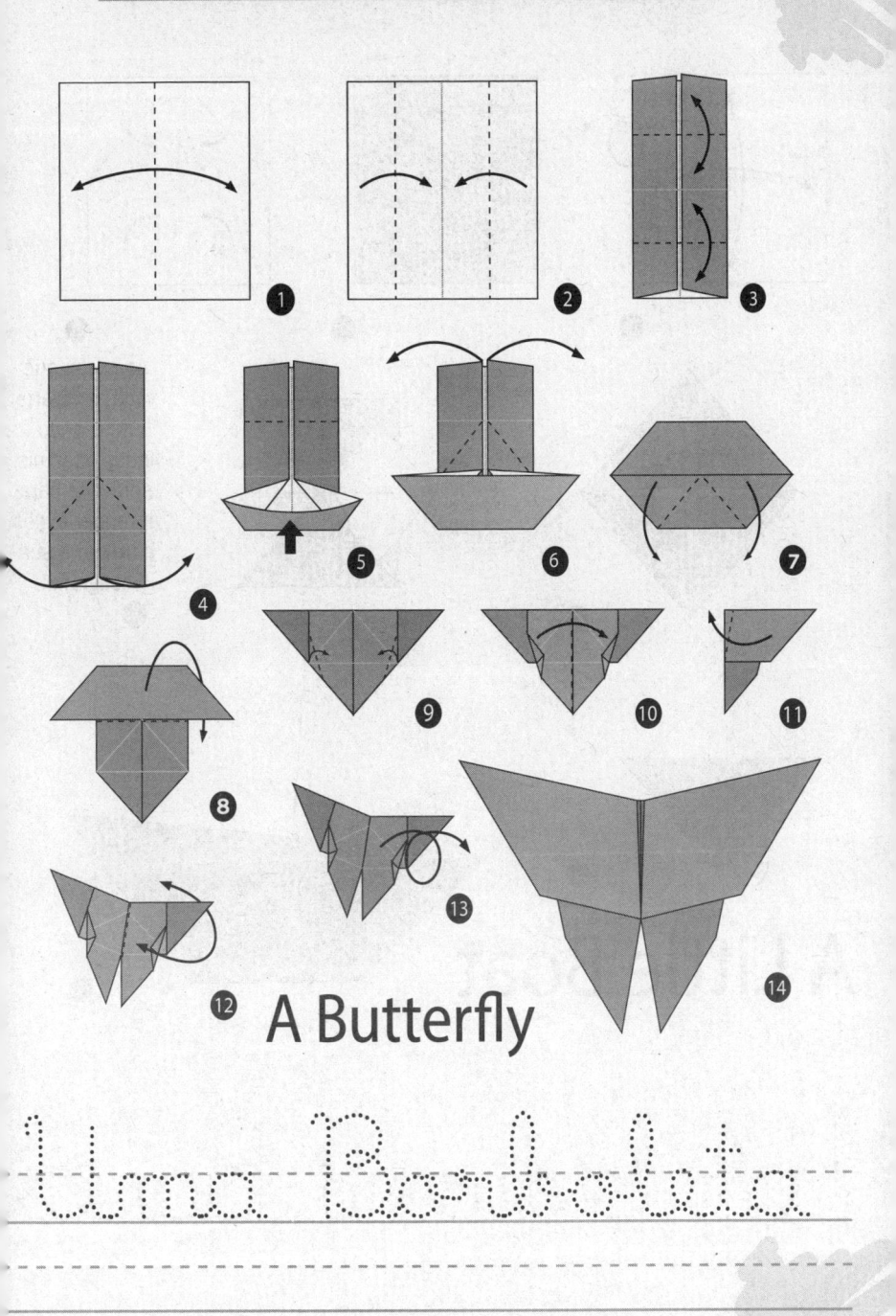

Preste muita atenção na sequência de ilustrações:

A Butterfly

Uma Borboleta

Preste muita atenção na sequência de ilustrações:

Ao passo que você se diverte montando lindos origamis, aproveite para aprender inglês e treinar a sua caligrafia!

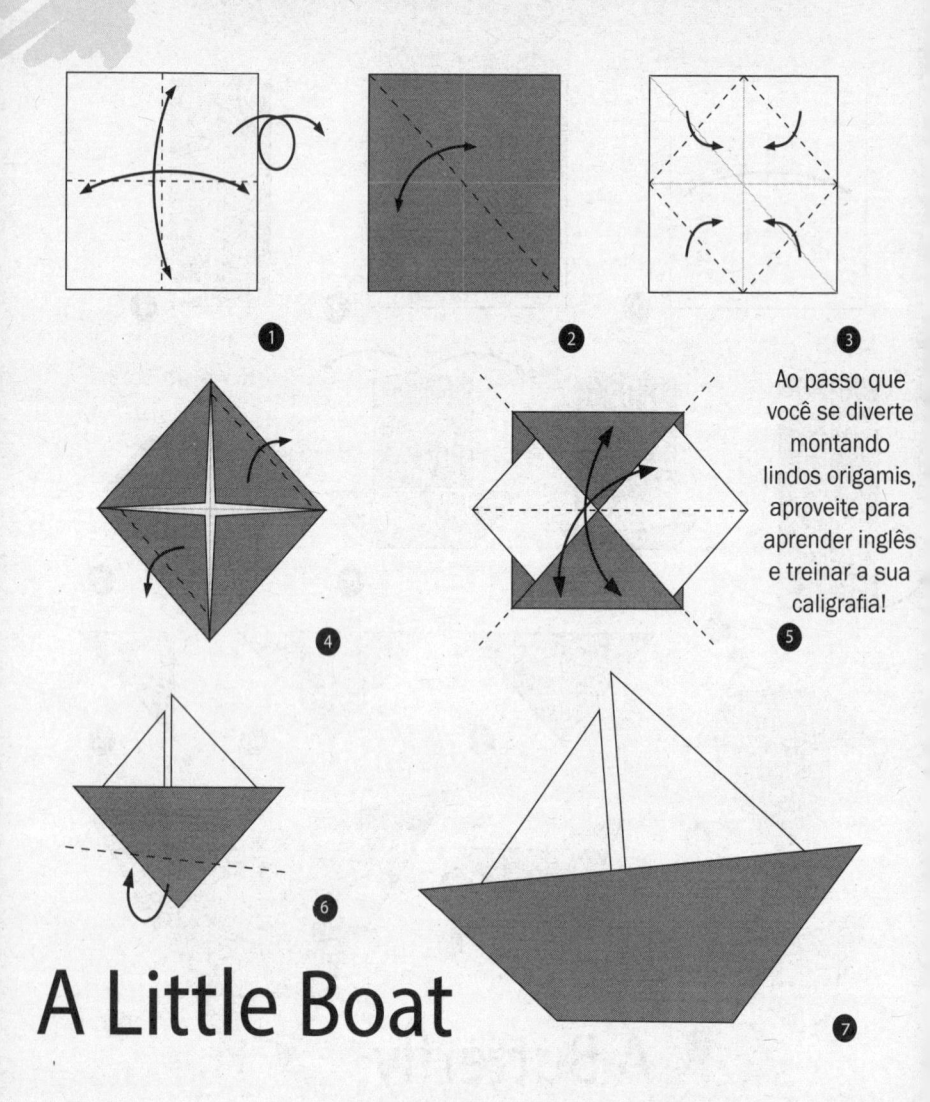

A Little Boat

Um Pequeno Barco

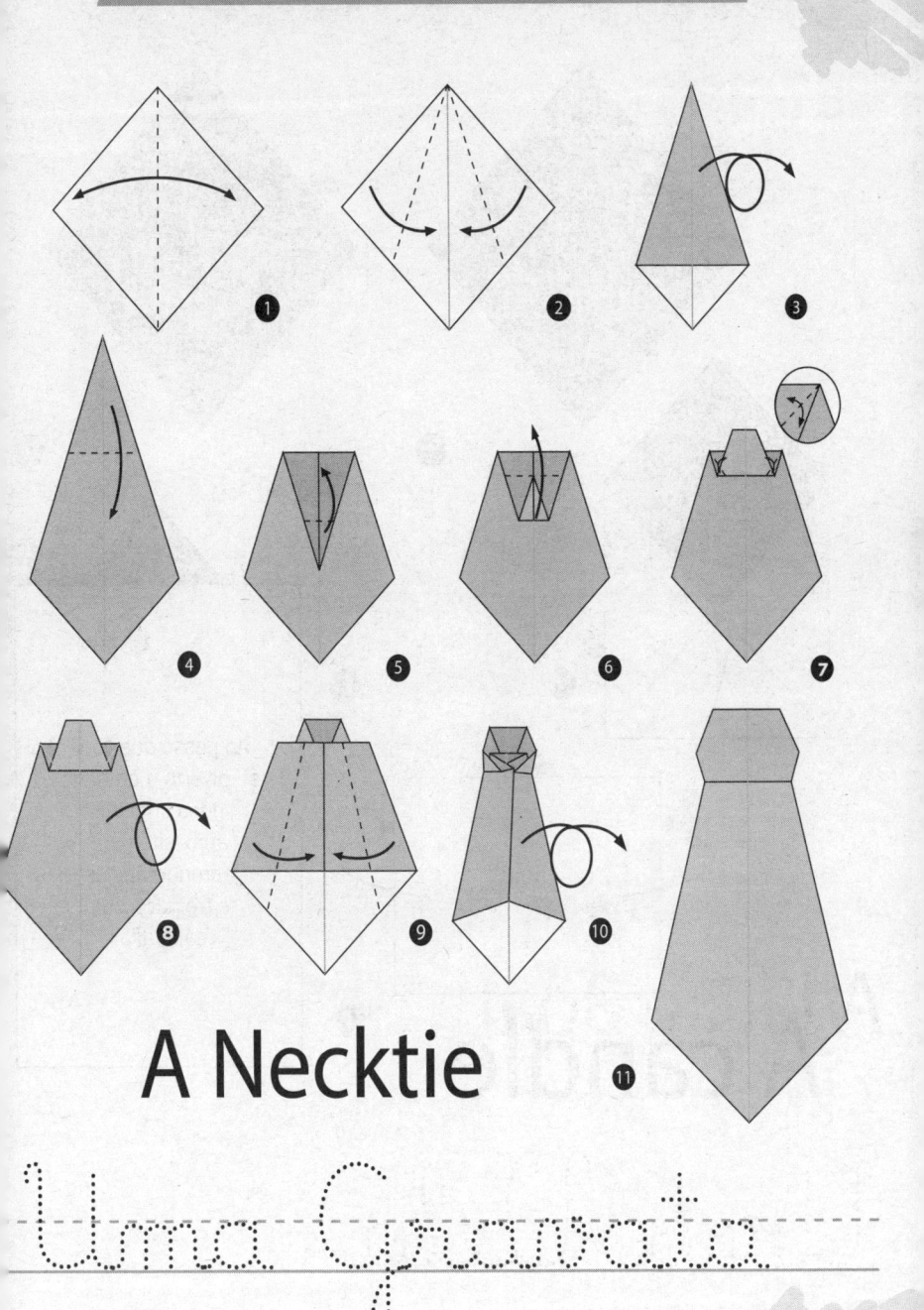

Preste muita atenção na sequência de ilustrações:

A Necktie

Uma Gravata

Preste muita atenção na sequência de ilustrações:

Ao passo que você se diverte montando lindos origamis, aproveite para aprender inglês e treinar a sua caligrafia!

A candle

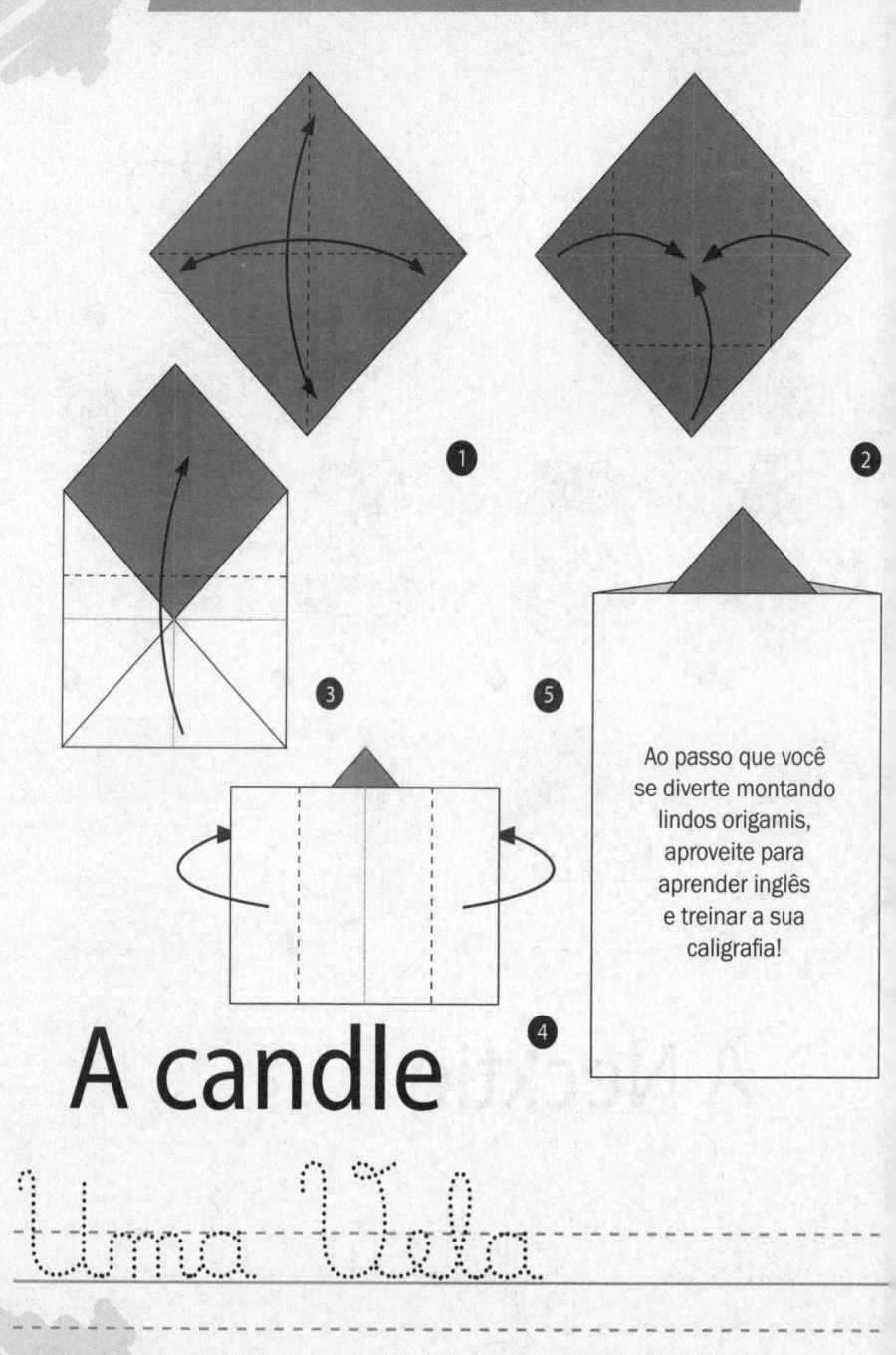

Uma Vela

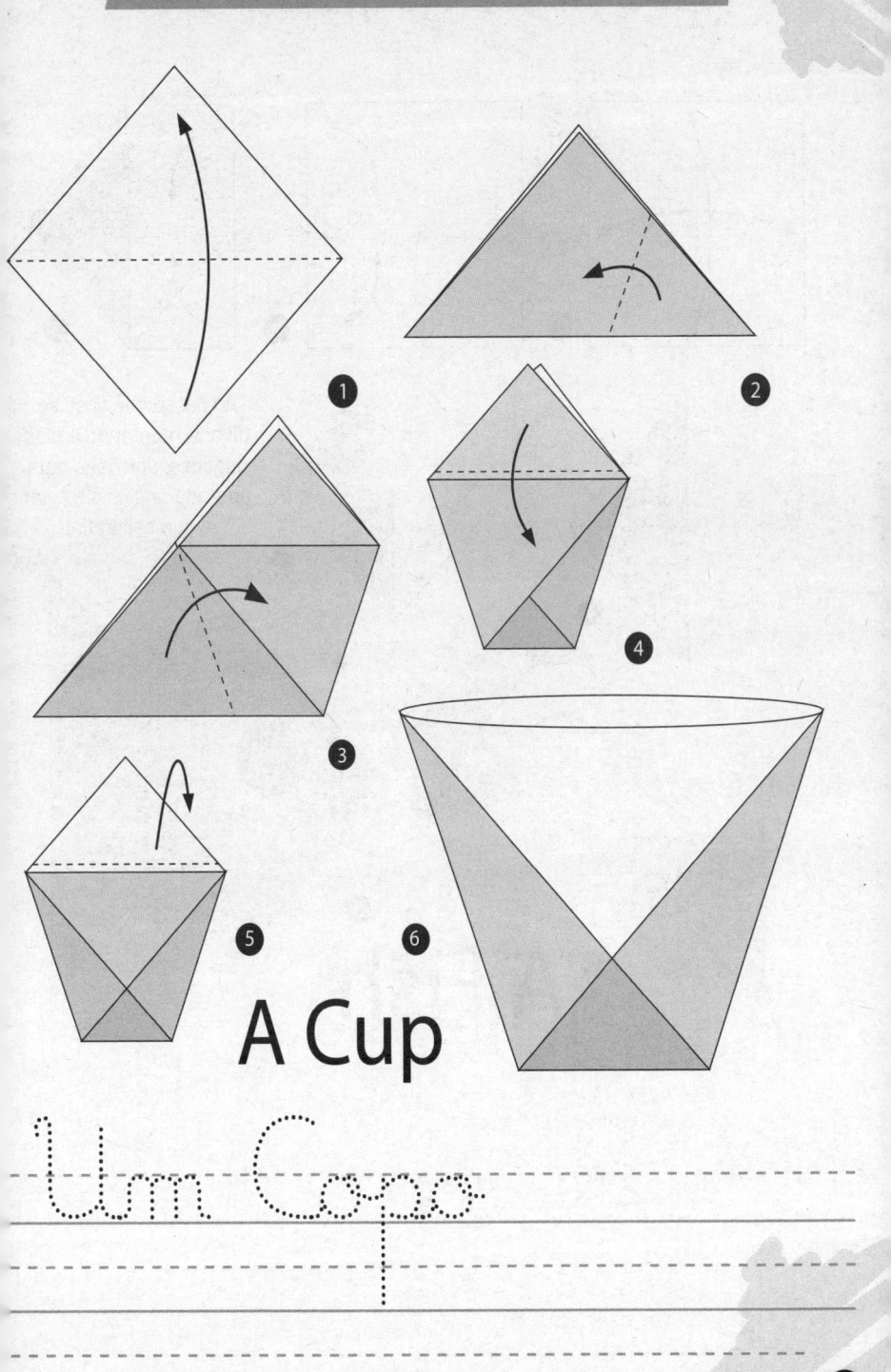

Preste muita atenção na sequência de ilustrações:

A Cup

Um Copo

Preste muita atenção na sequência de ilustrações:

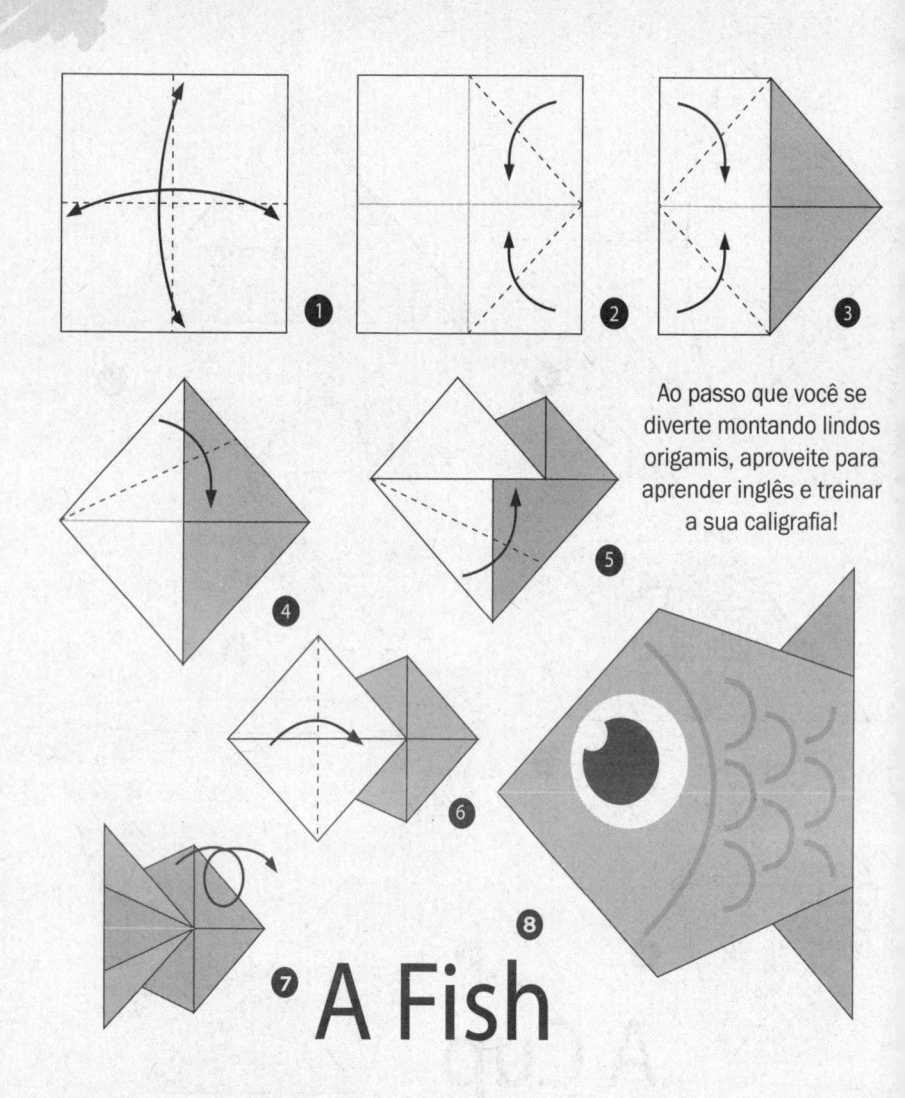

Ao passo que você se diverte montando lindos origamis, aproveite para aprender inglês e treinar a sua caligrafia!

A Fish

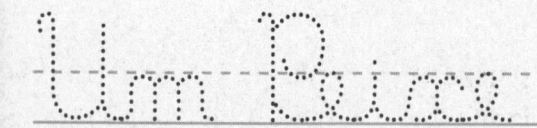

Um Peixe

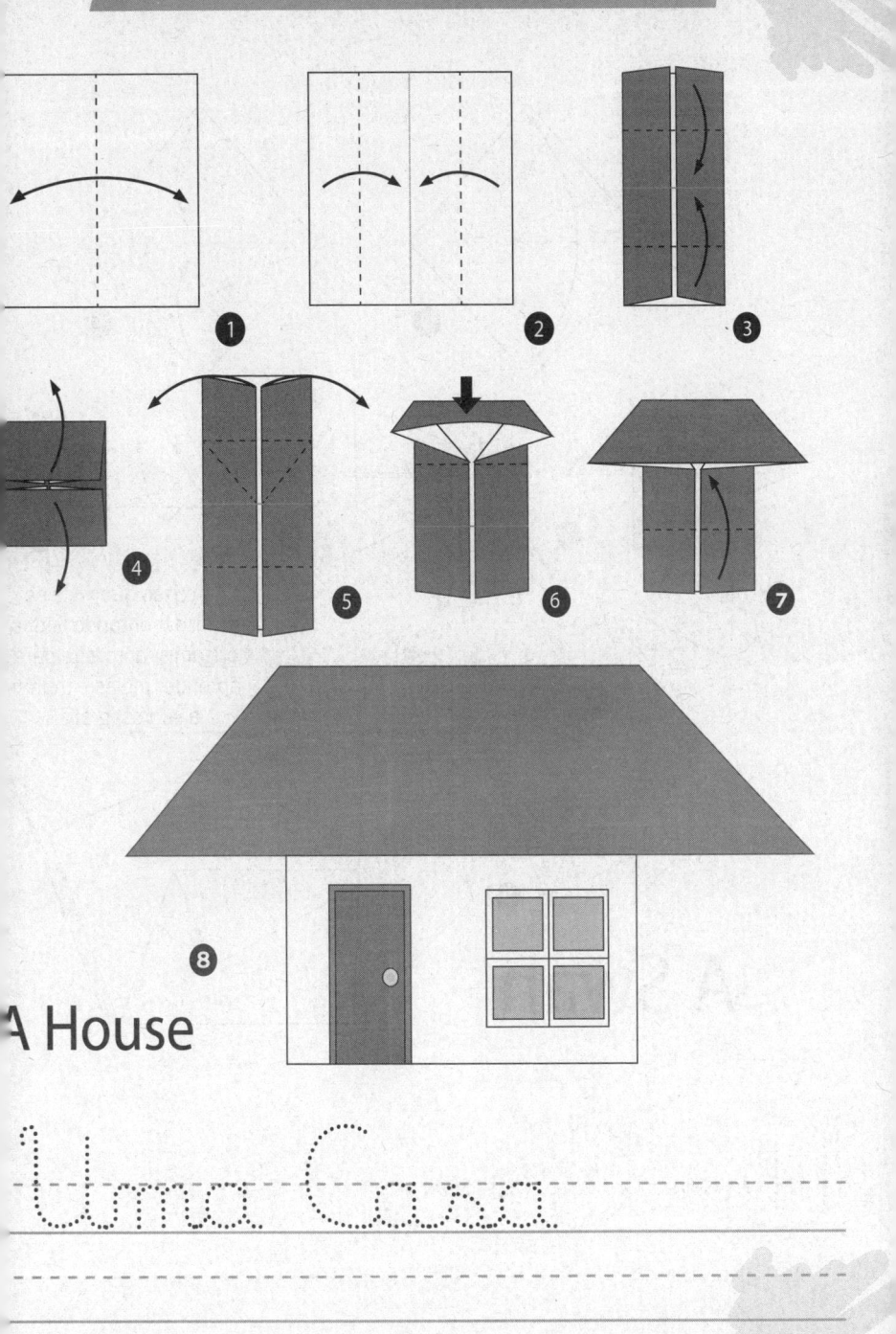

Preste muita atenção na sequência de ilustrações:

A House

Uma Casa

Preste muita atenção na sequência de ilustrações:

Ao passo que você se diverte montando lindos origamis, aproveite para aprender inglês e treinar a sua caligrafia!

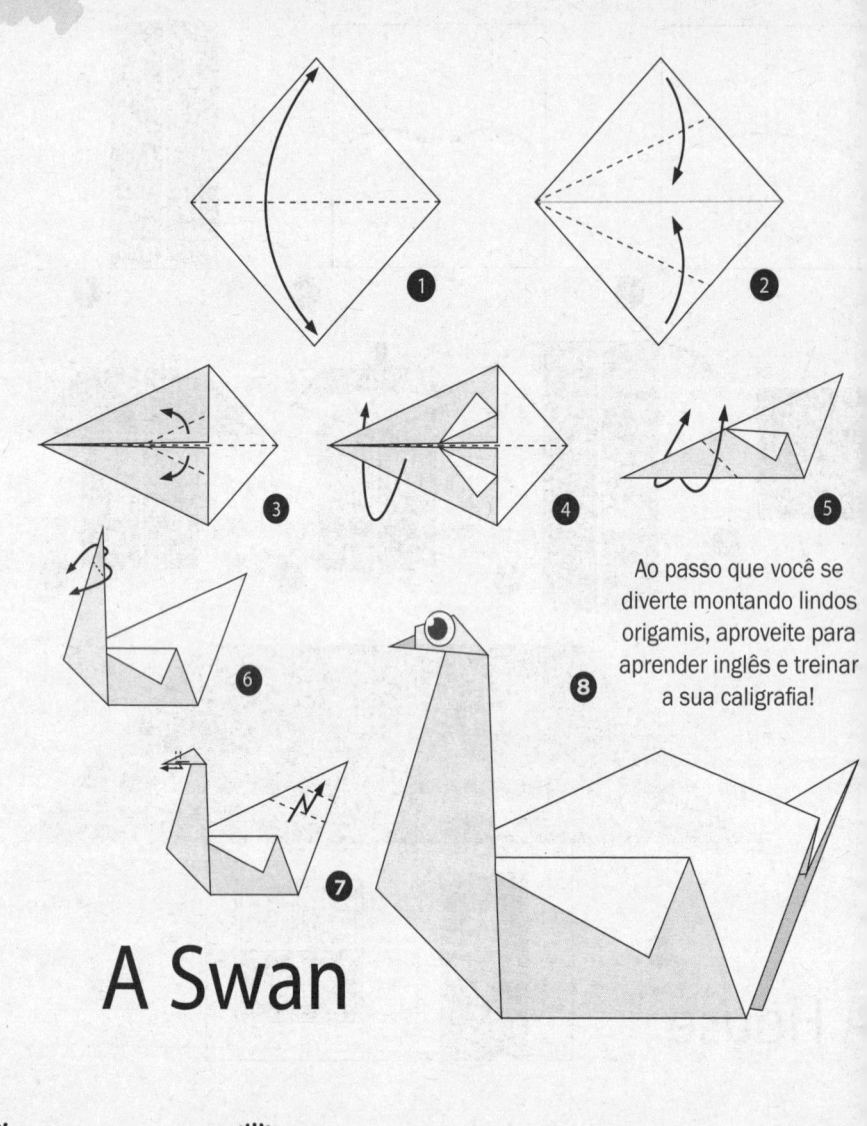

A Swan

Um Cisne

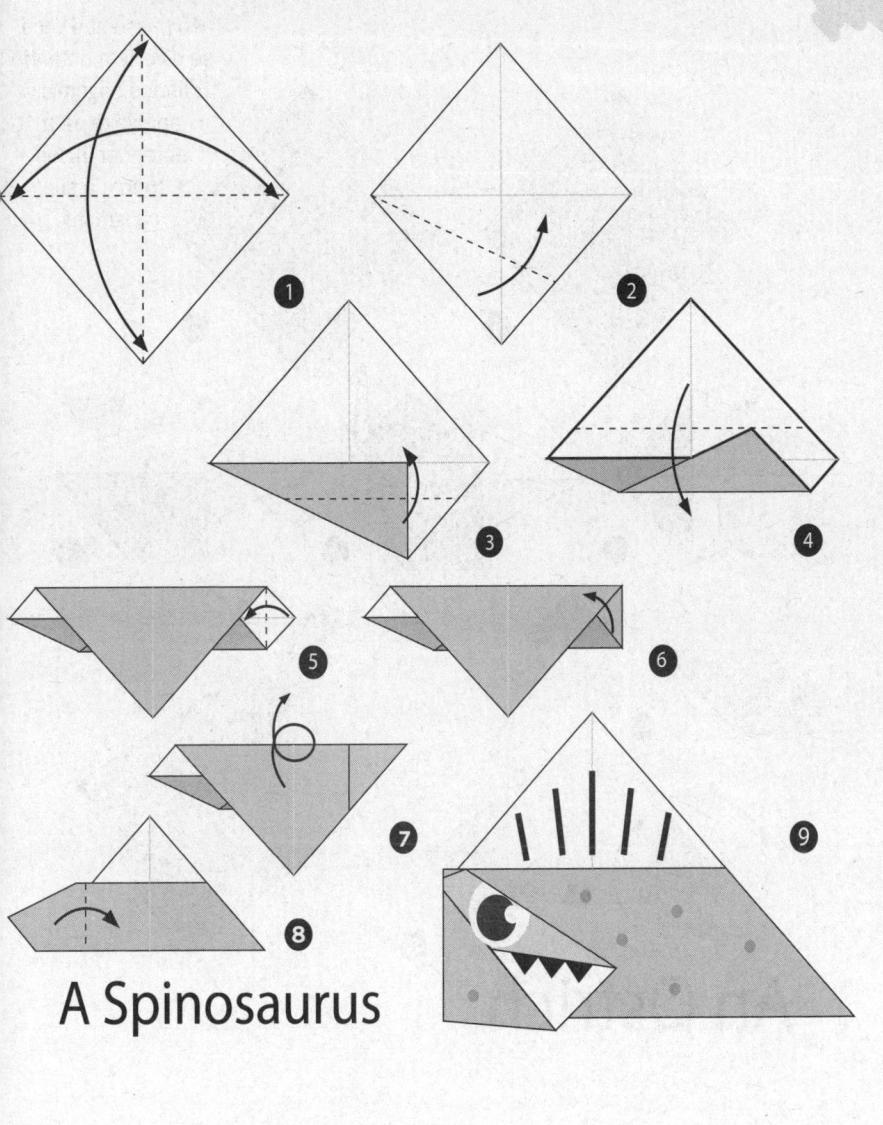

Preste muita atenção na sequência de ilustrações:

A Spinosaurus

Um Espinossauro

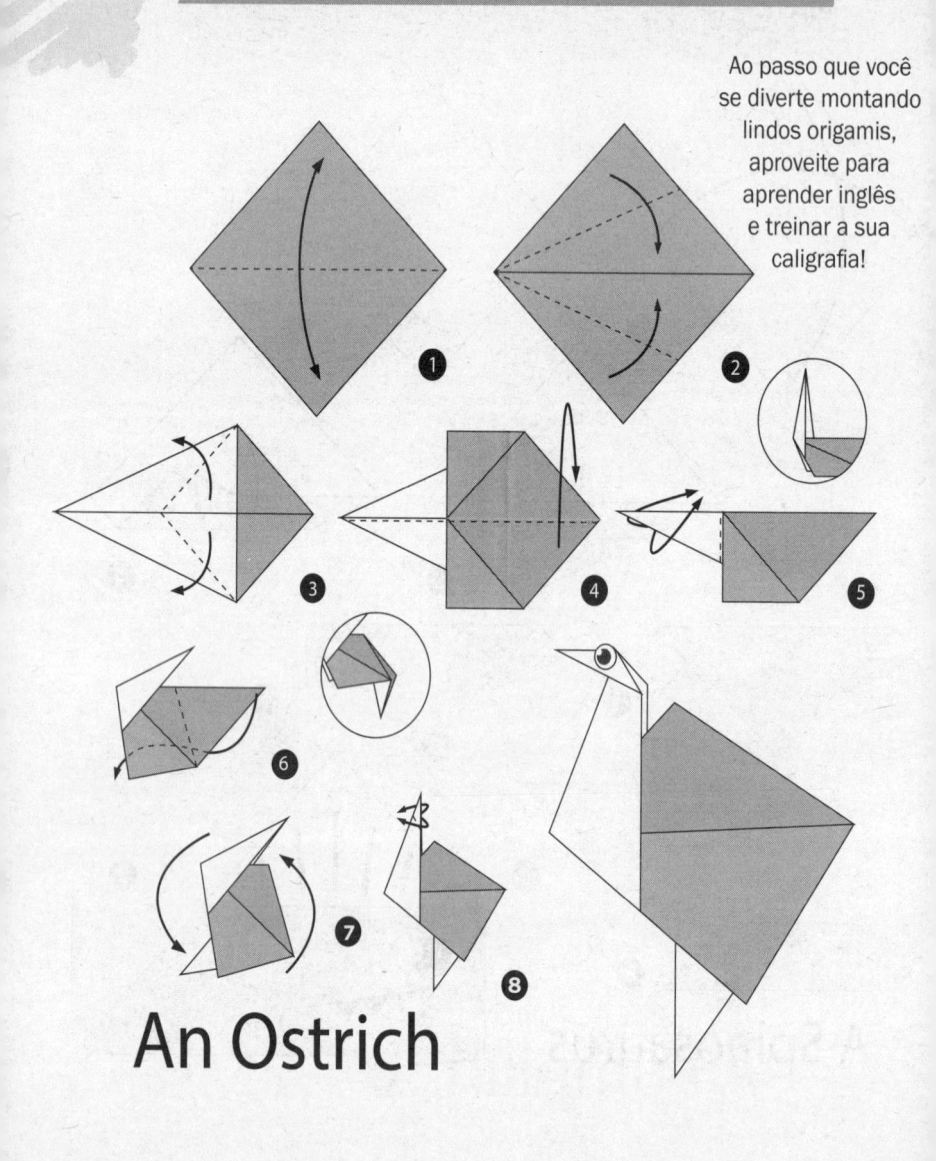

Preste muita atenção na sequência de ilustrações:

Ao passo que você se diverte montando lindos origamis, aproveite para aprender inglês e treinar a sua caligrafia!

An Ostrich

Um Avestruz

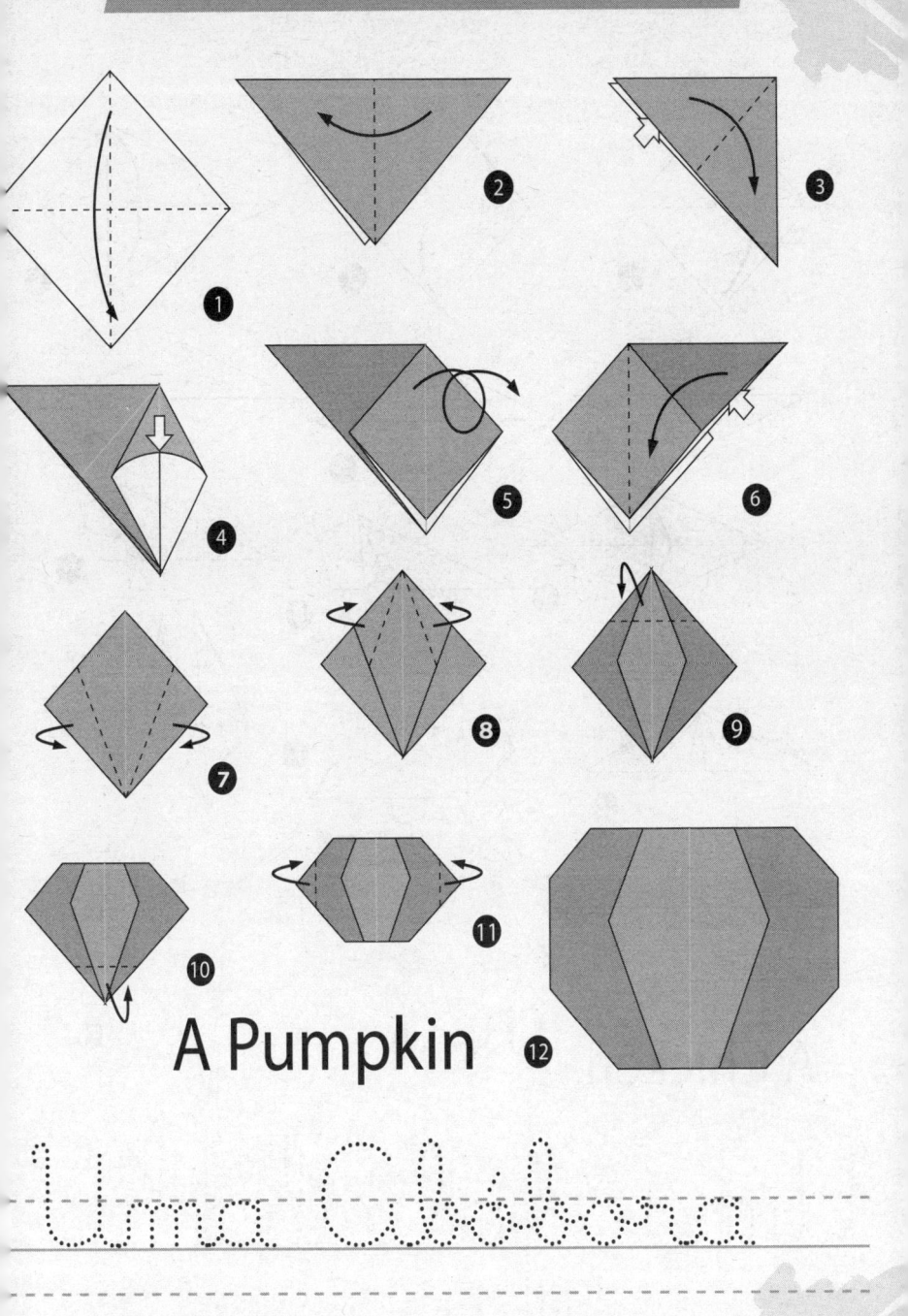

Preste muita atenção na sequência de ilustrações:

A Pumpkin

Uma Abóbora

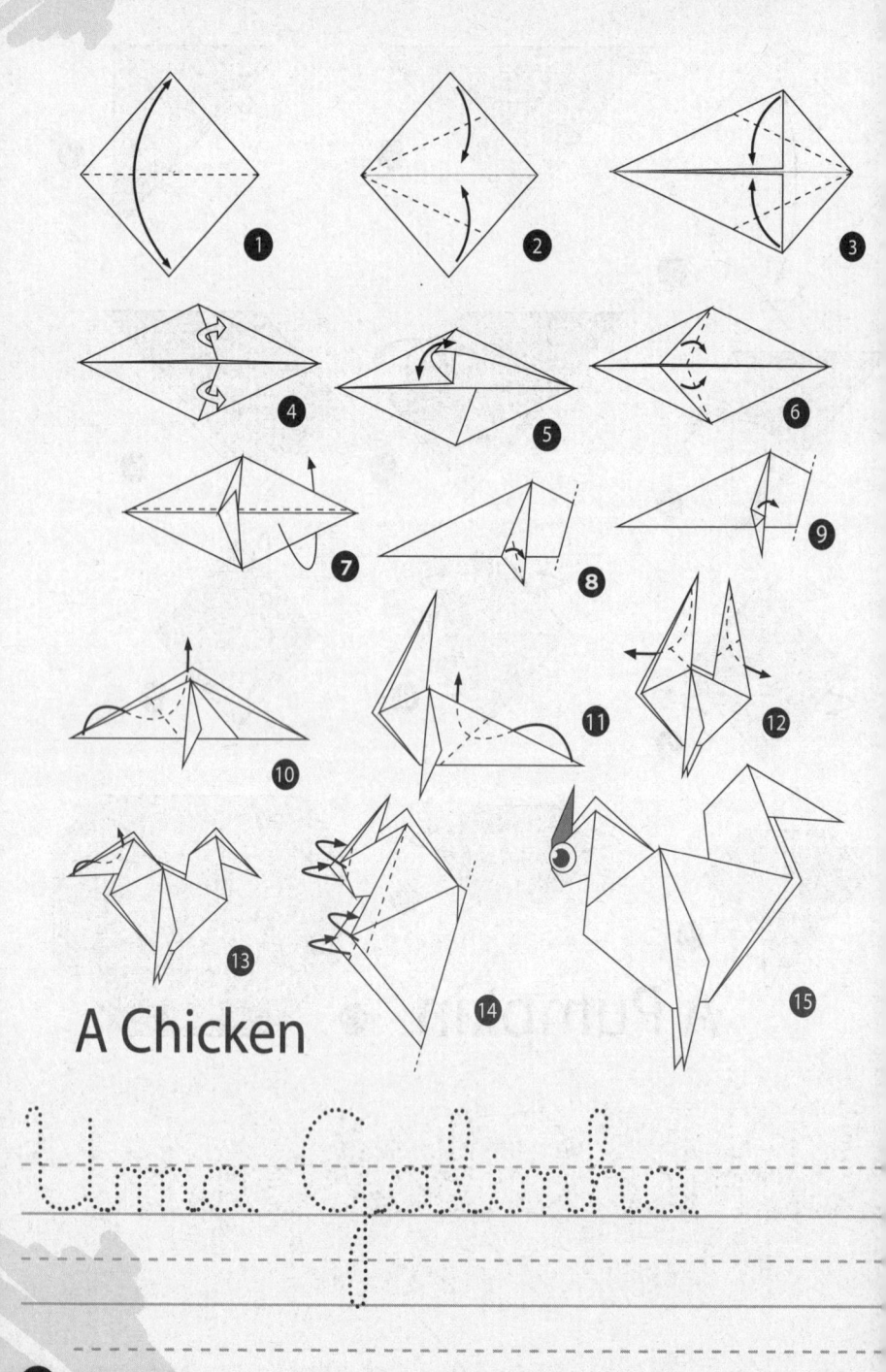

Preste muita atenção na sequência de ilustrações:

A Chicken

Uma Galinha

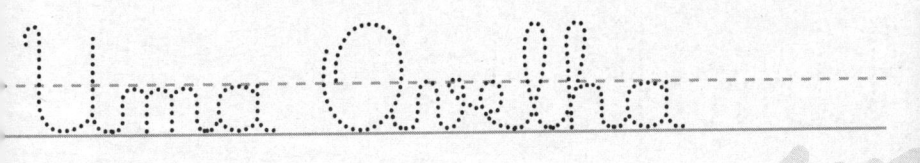

Preste muita atenção na sequência de ilustrações:

A Sheep

Ao passo que você se diverte montando lindos origamis, aproveite para aprender inglês e treinar a sua caligrafia!

Uma Ovelha

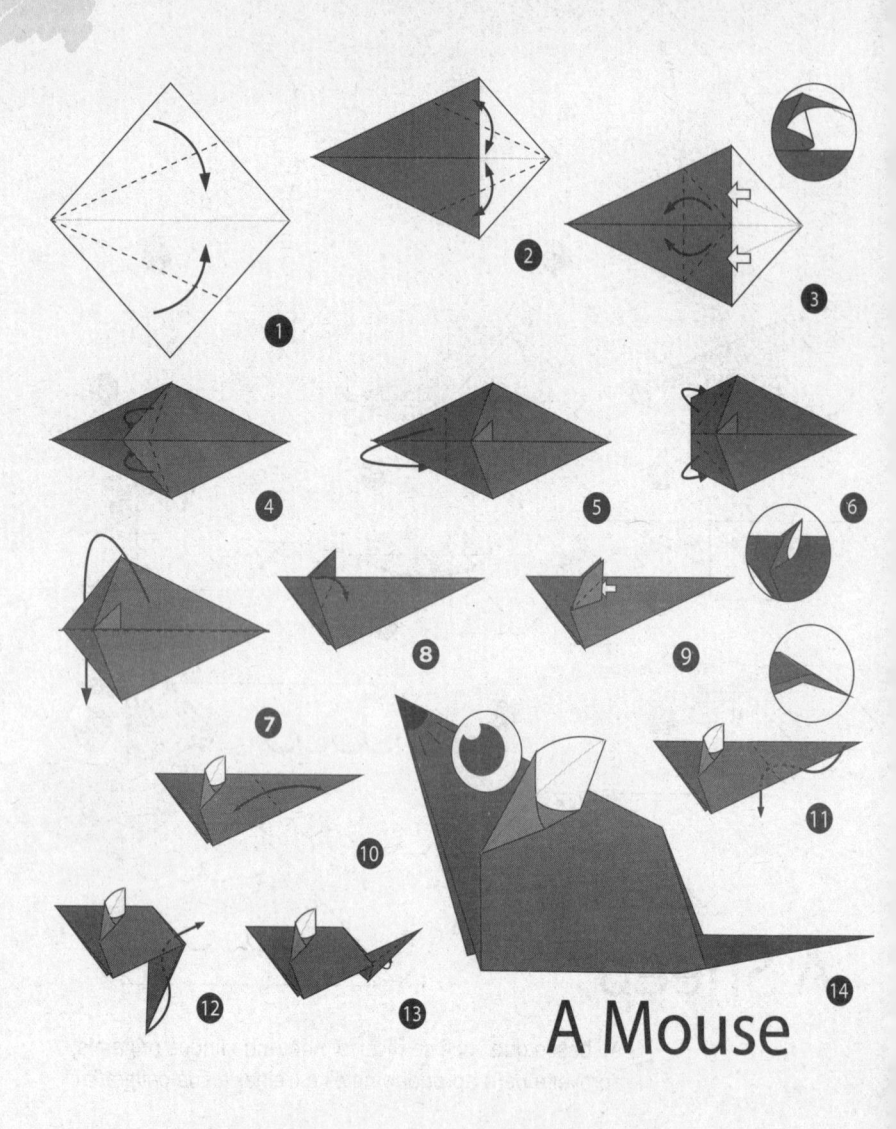

Preste muita atenção na sequência de ilustrações:

A Mouse

Um Rato